André Maurois
ŞİŞKOLARLA
SISKALAR

Çeviren: Ülkü Tamer ● Resimleyen: Fritz Wegner

Yayın Koordinatörü: İpek Gür
İç ve Kapak Tasarım: Gözde Bitir S.
Tasarım Uygulama ve Dizgi: Gülay Yıldız
Düzelti: Fulya Tükel
Kapak Baskı: Azra Matbaası
İç Baskı ve Cilt: Özal Matbaası

1. Basım: 1982
12. Basım: 3000 adet, Ocak 2012
ISBN 978-975-510-060-9
Patapoufs et Filifers, André Maurois
© Héritiers André Maurois, Paris, France
© Can Sanat Yayınları Ltd. Şti., 1982

Can Sanat Yayınları Yapım, Dağıtım, Ticaret ve Sanayi Ltd. Şti.
Hayriye Caddesi No. 2, 34430 Galatasaray, İstanbul
Telefon: (0212) 252 56 75 - 252 59 89 Faks: 252 72 33
www.cancocuk.com cancocuk@cancocuk.com

Bu kitabın sahibi:

....

André Maurois

Asıl adı Emile Herzog olan yazar, 1885 yılında dünyaya geldi. Shelly, Lord Byron, Balzac ve Proust gibi dünyaca ünlü yazarların biyografilerini eğlenceli bir dille kaleme alan Maurois, ayrıca eleştiri, roman, öykü ve siyaset alanında da çok çeşitli kitaplar yazdı. Hem 1. hem de 2. Dünya Savaşı'na katılması, ona savaş hakkında oldukça geniş bir deneyim kazandırdı. Bu deneyimini de, dünya çocuk edebiyatının neredeyse klasikleşmiş yapıtı olan *Şişkolarla Sıskalar*'da gözler önüne serdi. Savaşın trajedisini, ince bir alayla çocuklara anlatan yazar, 1967 yılında hayata gözlerini yumdu.

ŞİŞKOLARLA SISKALAR

İçindekiler

Mutlu Bir Aile

Parmaklarıyla bir süredir masa örtüsüne vurmakta olan Ferit Bey, "Ne kadar yavaş yemek yiyorsunuz," dedi.

"Ben bitirdim bile," dedi İlkay.

"Sen bitirdin bile, ama annenle kardeşine bak."

Yeryüzünde bundan mutlu bir aile bulmak güçtü doğrusu. Ferit Bey'le karısı Tanyeri Hanım birbirlerini çok severler, çocuklarının üstlerine titrerlerdi. İlkay'la Ünal durmadan kavga ederlerdi. Zaten dokuz-on yaşlarındaki çocuklar çok yaramazdırlar. Ama bizimkiler birbirlerine çok bağlıydılar. Ünal, "İlkay beni kızdırıyor," derdi hep, ama iki gün İlkay'dan ayrılsa arpacı kumrusu gibi düşüncelere dalardı. İlkay da öyle. "Ünal beni dövüyor," diye yakınırdı, ama Ünal birazcık hastalansa üzüntüden o da hastalanırdı. Hani çocuklar vardır, "Ben şunu yaptım, bunu yaptım," diyip dururlar. İlkay'la Ünal öyle değillerdi, hep "biz" diye konuşurlardı: "Biz bugün pasta yiyemedik", "Biz kızamık olduk" gibi... İki kişiydiler, ama tek kişi gibi yaşarlardı aslında.

Yalnız yemeklerde pek anlaşamazlardı. Tanyeri Hanım'la Ünal yemek yemeyi pek severlerdi. Ünal okuldan döner dönmez doğru mutfağa gider, akşama ne yemek olduğuna bakardı. Söylendiğine göre, daha sekiz aylıkken masada yanında oturan annesinin tabağındaki baklavayı kaptığı gibi mideye indirmiş. Ferit Bey'le İlkay ise yemeklerle hiç mi hiç ilgilenmezlerdi. Önlerine ne konursa çabucak yerler, Ferit Bey işine, İlkay da oyuncaklarının başına dönerdi. İkisi de zayıftı.

"Ünal," dedi Ferit Bey, "bu gidişle tam bir şişko olacaksın!"

Tanyeri Hanım korkuyla oğluna baktı. Şişmanlayacağım diye ödü kopardı. Ama ne yapsındı kadıncağız... Tatlılara, özellikle hamur tatlılarına dayanamazdı; güzelliğini korumak için her gün uzun yürüyüşlere çıkar, sabahları evin çevresinde yarım saat koşardı.

"Ne?" dedi. "Ünal'ın neresi şişko?"

Kardeşine takılmayı pek seven İlkay, "Şişko işte!" diye bağırdı. "Şişkooo! Şiişkooo!"

Kardeşiyle o kadar alay etti ki, yemekten sonra Ünal dayanamadı, bir yumruk patlattı onun suratına; İlkay kendini yerde buldu, ağlamaya başladı. Görüldüğü gibi, iki kardeş sık sık kavga ediyorlardı.

Yaz ortasında bir pazar günüydü. Ferit Bey, çocukları koruda gezmeye götürecekti. Söz vermişti. İlkay'la Ünal bu gezintilere bayılırlardı. Hava güzelse, birkaç kilometre yürüdükten sonra Ferit Bey kayaların, ağaçların arasında gölgeli bir yer aramaya başlardı. Oturur, sırtını yosunlu bir kayaya dayar, cebinden ya bir kitap ya bir gazete çıkarır, okumaya başlardı.

O gün, "Size bir saat izin," dedi çocuklarına. "İster İkiz Kayalar'a tırmanın, ister Sivritepe'ye... Yalnız dikkatli olun; pek uzaklaşmayın. 'Hoy! Hoy! Hoy!' diye bağırırsam hemen yanıt verin."

Kalabalık ya da ıssız yerlerde birbirlerini kaybettikleri zaman hep, "Hoy! Hoy! Hoy!" diye bağırırlardı.

Böylece, ortalık karanlık bile olsa bir anda birbirlerini bulurlardı.

İlkay'la Ünal koşarak uzaklaştılar. İkiz Kayalar, yedi-sekiz metre yüksekliğinde, yan yana iki kayaydı.

İlkay, "Hadi," dedi gülerek, "sen o kayaya tırman, ben de bu kayaya tırmanayım. Bakalım tepeye hangimiz daha önce varacağız, şişko?"

"Bak İlkay," dedi Ünal, "bana bir daha şişko dersen döverim seni. Ağlamaya başlarsın. Onun için şişkoyu mişkoyu bırak da başla bakalım tırmanmaya."

İlkay bir kayanın, Ünal da öteki kayanın yanına gidip başladılar tırmanmaya. İkiz Kayalar'a tırmanmak

da pek zordu doğrusu. Kayalar düzgündü, ayak koya-cak bir tek oyuk bile yoktu üstlerinde. Onun için, ağır ağır tırmanıyorlardı. Ünal üç metre kadar tırmanmıştı ki babasının sesini duydu: "Hoy! Hoy! Hoy!"

İlkay da, "Hoy! Hoy! Hoy!" diye bağırarak karşılık verdi. Ünal onun sesinden, kardeşinin en aşağı beş metre tırmanmış olduğunu anladı. Olanca hızıyla tır-manmaya başladı. Tam tepeye varmak üzereydi ki, İlkay'ın sesini duydu yine: "Hoy! Hoy! Hoy!" Tuhaf şey... kayaların arasından geliyordu ses. Elini uzatıp kayanın tepesine çekti kendini. Başını, İkiz Kayalar'ın arkasındaki boşluğa uzattı. İlkay'ın sesini üçüncü kez duydu: "Hoy! Hoy! Hoy!" Aşağı baktı, kayaların ara-sındaki baca gibi boşlukta kardeşini gördü.

"İlkay!" diye bağırdı. "Ne yapıyorsun orada? Düş-tün mü?"

İlkay düştüğünü kabul eder miydi hiç! "Hayır," dedi. "Kendim indim. Gel de bak Ünal. Burası o kadar güzel ki..."

"Ama çok derin! Neler görüyorsun?"

"Kocaman bir mağara var. Elektrikle aydınlatılmış. Tıpkı tren istasyonu gibi."

"Tren de var mı?"

Ünal'ın dünyada en çok sevdiği şey, trendi. Bayılırdı trenlere.

"Yok. Ama çok güzel burası. İnsene."

"Nasıl iniliyor?"

"Bırak kendini... Yer yosunlarla kaplanmış; insanın canı acımıyor."

Ünal pek inanmadı, ama kendisine korkak denileceğinden korktu. Kayadan sarktı, gözlerini kapayıp kendini bıraktı. İki kayanın arasından yıldırım hızıyla kaydı. Bir an korktu; yumuşacık yosunların üstüne düşüp kendini kardeşinin yanında bulunca bütün korkusu geçti.

"Bak!" dedi İlkay.

Çok şaşırtıcı bir şeyle karşı karşıyaydılar. Kocaman bir mağara vardı önlerinde. Mağaranın tavanına asılmış yuvarlak ampullerden yayılan mavimsi ışık her yanı aydınlatıyordu. Yer, düzgün taşlarla kaplanmıştı. Taşların bazıları kırmızı-beyaz, bazıları da kırmızı-maviydi. Mağaranın sonunda, aşağı inen bir tünel vardı. Tünelin ucundan makine sesleri geliyordu.

"Vay canına!" diye bağırdı Ünal. "Demek yeraltında da insanlar var!"

"Tabii," dedi İlkay. "Tünelde ne var, biliyor musun?"

"Ne var?" dedi Ünal.

"Yürüyen merdivenler var," dedi İlkay.

Ünal dayanamadı, tünele koştu. Doğruydu! Upuzun bir yürüyen merdiven vardı tünelde, Yeraltı'na doğru iniyordu. Bir de yukarı çıkan merdiven vardı, ama ortalıkta kimseler görünmüyordu.

"Hadi, inelim!" dedi İlkay.

"Babama söyleyelim önce," dedi Ünal.

"Sonra söyleriz. Çok kalmayız, hemen çıkarız."

İlkay başlarına neler gelebileceğini düşünmüyordu bile.

O sırada uzaklardan bir ses duydular:

"Hoy! Hoy! Hoy!"

İkisi birden, seslerinin olanca gücüyle bağırarak, "Hoy! Hoy! Hoy!" diye karşılık verdiler. Sonra başladılar merdivenden inmeye.

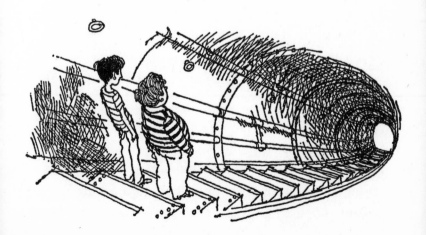

İki Gemi

İlkay'la Ünal, bir merdivenin bu kadar uzun ola-
bileceğine bir türlü inanamıyorlardı. İndikçe indiler.
Bir saat geçti. İndiler, indiler. Bazen kırmızı, bazen de
yeşil ışıklarla karşılaşıyorlardı yarı karanlıkta.

"Bizim yollardaki ışıklara benziyor," dedi Ünal.
"Amma da indik haa!"

İlkay takıldı: "Korktun mu yoksa şişko?"

Ünal bir şey demedi.

Yürüyen merdivenin sesinden başka bir şey du-
yulmuyordu: drum-bum, drum-bum, drum-bum...

Bir tünelden çıkarken gün ışığını nasıl görür insan? Yarım çember gibi. İlkay'la Ünal da tünelin sonunda öyle bir ışık gördüler. Işık büyüdü, büyüdü, duvarları aydınlattı, içerideki ışıkları soluklaştırdı. Beş dakika sonra kocaman bir salona ayak bastılar. Merdivenin başında iki asker duruyordu. Birer tüfek vardı ellerinde. Biri kısa boylu, şişman, öteki de uzun boylu, zayıftı. .

Zayıf olanı, "İki dünyalı," dedi. "İki kişi."

Şişman olanı karşılık verdi:

"Bir Şişko, bir de Sıska. İki kişi."

Arkalarında duran çok zayıf bir adam, elindeki yeşil kâğıda iki işaret koydu. Otel kapıcısına benzeyen üniformalı şişman asker, Ünal'ın yanına yaklaştı. Şaşkınlıkla, "Ne o?" diye sordu. "Eşyanız yok mu?"

"Yok," dedi Ünal. "Hemen döneceğiz."

Şişman asker uzaklaştı. Bir sürü yolcu vardı salonda, herkes aynı yöne gidiyordu. İlkay'la Ünal arkalarına düştüler onların. Duvarlarda iri iri ok işaretleri vardı. Altlarında, "Gemilere Gider" yazılıydı.

İlkay'la Ünal kalabalığa karıştılar bir anda. Bir kapıdan geçtiler; o anda taze, serin bir rüzgâr çarptı yüzlerine. Bir deniz kıyısında buldular kendilerini. Ortalık gündüz gibi aydınlıktı, ama güneş yoktu gökyüzünde. Her yeri, havadaki kocaman, ışıklı balonlar aydınlatıyordu. Yumuşacık, tatlı bir ışık saçıyorlardı ortalığa. Denize inen yokuşta kulübelerden kurulmuş bir kent vardı, küçük bir kent. İlkay'la Ünal, rıhtımın biraz ötesinde bir deniz feneriyle bir dalgakıran gördüler. İki tane de gemi. Pırıl pırıl parlayan iki iskele, gemileri rıhtıma bağlıyordu. İskelelerden birinin üstündeki ok işaretinin altında, "Göbekistan'a Gider" yazılıydı. Göbekistan'a giden gemi tahtadan yapılmıştı, genişti, yuvarlaktı. Çelik gemiyi rıhtıma bağlayan iskeledeki ok işaretinin altında da, "Kemikistan'a Gider" yazılıydı.

"Binelim mi?" dedi İlkay.

"Babam ne der sonra?"

"Uzağa gitmeyiz canım," dedi İlkay. "Baksana, küçücük bir deniz bu."

Doğrusu deniz de ne denizdi ya! Denizden çok göle benziyordu. Gökyüzündeki balonlardan saçılan ışığın altında karşı kıyı görünüyordu. Yüksek yapılar vardı karşı kıyıda.

"Ama paramız yok ki," dedi Ünal.

"Var," dedi İlkay. "Benim haftalığım yanımda."

Ünal içini çekti. Kardeşinin dediği olurdu hep. Göbekistan'a giden gemiye yaklaştılar. O sırada kırmızı, güleç yüzlü, şişman bir gemici usulca sırtını okşadı Ünal'ın.

"Merhaba küçük dünyalı!" dedi. "Uzun zamandır bir dünyalı gelmemişti ülkemize."

İlkay'ı durdurdu.

"Olmaz! Sen öteki gemiye bineceksin."

"Ama biz birbirimizden hiç ayrılmayız," dedi İlkay.

"Evet, dünyada ayrılmazsınız belki," dedi gemici, "ama burada ayrılmak zorundasınız. O Şişko, sen

Sıska'sın. Apaçık ortada. Bana inanmıyorsanız tartılın. Şurada bir tartı var. Ama çabuk ol, yoksa gemiyi kaçırırsın. Kalkmak üzere."

O sırada öteki geminin düdüğü birkaç kere öttü. Karar vermek için öyle uzun uzun düşünmezdi İlkay. Hemen fırladı, iki adımda çelik gemiye atladı. Geminin makineleri çalışmaya başlamıştı bile; pervaneler dönüyor, gemiciler rıhtımdaki halatları çözüyorlardı. O gürültü arasında kulağına bir ses çarptı:

"Hoy! Hoy! Hoy!"

Çevresine baktı. Yuvarlak gemi de yola koyulmuştu; iki yanındaki kocaman çarkları hızla dönüyordu. Ünal güvertedeydi işte, bir divanın üstüne çıkmış, gözleri yaşlı, elindeki mendili sallıyordu.

İlkay cebini karıştırdı; buruşuk bir kâğıt parçasından başka bir şey yoktu yanında. O da mendil ye-

rine buruşuk kâğıdı salladı kardeşine. Öteki yolcular şaşkınlıkla İlkay'a baktılar, ama İlkay aldırmadı. Kardeşinden ayrıldığı için çok üzgündü. Tek başınaydı, yabancılar arasındaydı; bakalım neler gelecekti başına?

Kemikistan Gemisi

Ünal uzaklarda nokta gibi küçülünce İlkay içini çekip çevresine baktı. Gemiye ilk binişi değildi bu, ama daha önce hiç böyle ensiz gemiye binmemişti. O kadar ensizdi ki gemi, hiç sallanmıyordu. Daha iyiydi bu, hiç olmazsa deniz tutmazdı. İlkay'ın rahatı yerindeydi, ama acıkmıştı.

Güvertede bir koşuşmacadır gidiyordu. Kimsenin oturduğu yoktu; herkes ya yürümekte ya koşmakta ya da sağa sola buyruk vermekteydi. Sayısız satıcı dolaşıyordu; gazete, kitap, büyüteç, saat gibi şeyler satıyorlardı. İlkay, "Belki muz ya da çikolata satan da vardır," diye düşündü. Yazık ki, yiyecek satılmıyordu.

Pencereden bakınca, içeride bir sürü adamın jimnastik yapmakta olduğunu gördü İlkay. Bazıları ağırlık kaldırıyor, bazıları top oynuyor, bazıları yüksek atlıyordu. İlkay'ın aklına, mağazaların vitrinlerinde gördüğü durmak bilmeyen oyuncak bebekler geldi.

Şaşkınlıktan ağzı bir karış açılıverdi ansızın. Gemi kalabalıktı gerçi, ama yolculardan hiçbiri, şişman olmak şöyle dursun, toplu bile değildi. Erkekler de, kadınlar da, çocuklar da korkunç denecek kadar zayıftılar. Yüzlerine bakılınca elmacıkkemikleri görünüyordu. Bir deri bir kemiktiler. Elbiseleri üstlerinden sarkıyordu.

Ama hepsi sapasağlamdı. Son derece canlı, son derece hareketliydiler. Zayıflıkta da, canlılıkta da hepsi birbirine çekmişti.

"Acaba neredeyim?" diye düşündü İlkay. Gördüğü kentleri hatırlamaya çalıştı. Ama herkesin zayıf olduğu bir kent görmemişti şimdiye kadar. Hem zaten, yeraltında bir kent olabileceğini o güne kadar aklından bile geçirmemişti.

Bunları düşünerek, güvertede dolaşmaya başladı. Üstünde "Yazı Odası" yazılı bir kapının önünde buldu kendini. Çerçeveli, kocaman bir de harita vardı kapının üstünde. Haritayı inceledikçe şaşkınlığı arttı, daha önce gördüğü haritalara hiç benzemiyordu bu, bütün yer adları yabancıydı.

Haritayı uzun süre inceledi. Coğrafyada sınıfın üçüncüsüydü gerçi, otuz yedi kişilik sınıfın üçüncüsü; ama bu acayip ülke hakkında hiçbir şey bilmiyordu. O sırada, yaşlı, beyaz saçlı, çok zayıf bir adam yaklaştı yanına, İlkay'a dik dik bakmaya başladı.

"Haa," dedi. "Yeryüzü'nden geliyorsun galiba, yani dünyadan."

"Ben mi?" dedi İlkay.

"Evet, sen! Merdivenden indin, öyle değil mi?"

"Evet," dedi İlkay. "Merdivenden indim."

"Tamam!" dedi yaşlı adam. "Dediğim gibi, Yeryüzü'nden geliyorsun. Ne acayip ülkeniz var sizin... zayıflarla şişmanlar bir arada yaşıyorlar! Burada, Yeraltı'nda ise insanlar kilolarına göre ayrılmıştır. Şişkolar var, bir de Sıskalar var."

"Şişkolarla Sıskalar... Yani şişmanlarla zayıflar."

Yaşlı adam, alayla, "Aferin!" diye bağırdı. "Ne akıllı çocuksun sen! Hemen anlayıverdin! Öğretmenin olsaydım pekiyi verirdim sana."

Pek alaycı, pek tatsız bir adamdı bu; ama İlkay, nerede olduğunu anlamak istiyordu. Yaşlı adamla konuşmaya devam etti. Karşısındakinin Sıskalar Okulu'nda tarih öğretmenliği yaptığını, adının da Çokkemik olduğunu öğrendi. Yaşlı adamın öğretmen olduğu apaçık ortadaydı, durmadan soru soruyordu çünkü.

Ansızın, "Söyle bakalım, Kemikistan'ın başkenti neresidir?" diye sordu.

23

"Ben mi söyleyeyim?" dedi İlkay.

"Tabii sen. Başka kimse var mı burada?"

"Biz," dedi İlkay, "bazı ülkelerin başkentlerini öğrenmiştik okulda. İtalya'nın başkenti Roma'dır, Polonya'nın başkenti Varşova'dır. Macaristan'ın başkenti Budapeşte'dir. Bunları öğrendik, ama Kemikistan'ın başkentinin neresi olduğunu kimse söylemedi bize."

"Yaa," dedi Bay Çokkemik. "Tekrarla bakalım öyleyse: Kemikistan'ın başkenti Kemikkent'tir."

İlkay tekrarladı.

"Peki," dedi Bay Çokkemik, "Göbekistan'ın başkenti neresidir?"

"Bilmiyorum," dedi İlkay, "Göbekkent mi yoksa?"

"Öğretmenin olsaydım orta verirdim sana," dedi Bay Çokkemik. "Tekrarla bakalım: Göbekistan'ın başkenti Göbekyurt'tur."

"Ne güzel," dedi İlkay. "Hiç unutmaz insan. Keşke İsveç'in başkenti İsveçkent, Norveç'in başkenti de Norveçkent olsaydı. Ne kolay ezberlenirdi."

"Sus!" dedi Bay Çokkemik. İlkay'ı haritanın önüne çekerek sözlerine devam etti: "Sen Yeryüzü Merdiveni diye adlandırılan merdivenden indin aramıza. Bu merdivenin başında iki kaya vardır."

İlkay, belini tutarak, "Biliyorum," dedi.

"Merdivenden inince bir rıhtımla karşılaşır insan. Bu rıhtım çok önemlidir, çünkü iki gemi de oraya yanaşır. Göbekistan gemisiyle..."

"...Kemikistan gemisi," dedi İlkay.

"Öğretmenin olsaydım pekiyi verirdim sana," dedi Bay Çokkemik. "Haritaya bakınca göreceksin. Göbekistan Krallığı'nı Kemikistan Cumhuriyeti'nden bir çöl ayırmaktadır: Kumgöbek Çölü. İki ülke arasında bir de deniz vardır. Bu denizin adı Sarı Deniz'dir, dibine ne zaman baksan altın rengi kayalar görürsün çünkü. Sarı Deniz'de iki tane de önemli burun vardır: Göbekistan'daki Pasta Burnu, Kemikistan'daki Çivi Burnu."

"Evet," dedi İlkay. "Sarı Deniz'in ortasında da bir ada var: Sısko Adası."

"Aferin," dedi Bay Çokkemik. "Sısko Adası denizin dibinde olsaydı keşke. Her şey onun başının altından çıkıyor."

"Niye Sıska Adası değil de, Sısko Adası?" diye sordu İlkay.

"Bu ada hem Şişkoların, hem de Sıskalarındır," dedi Bay Çokkemik. "Onun için, Sıska sözcüğünün ilk hecesi olan 'sıs' ile Şişko sözcüğünün son hecesi olan 'ko'yu birleştirdik. Sısko yaptık."

Bay Çokkemik'in tarih-coğrafya dersini bir yana bırakalım da, Ünal'a dönelim biz. Bakalım onun başına neler geldi...

Göbekistan Gemisi

Az kalsın hüngür hüngür ağlayacaktı Ünal. Yabancı bir gemide buluvermişti kendini; İlkay ufukta kaybolup gitmişti; babaları uzaklardaydı, şu anda çocuklarını aramaktaydı belki.

"Ah, şimdi evde olsaydım," diye düşündü. Ne güzel... treniyle oynardı. Ama, on yaşına gelmiş bir çocuk, sulugözlü olmamalıydı öyle; kendini topladı, çevresinde neler olup bittiğini anlamaya çalıştı.

Deniz tutmasından korkuyordu. Babasıyla ne zaman araba vapuruna binmişse içi bulanmıştı. Ama yusyuvarlak bir gemiydi bu, pek sallanmıyordu. Korkusu çabucak geçti; midesinde bulantı değil, yalnızca açlık duyuyordu şimdi.

Güvertedeki koltuklarda uyuyanlar vardı. Bazıları marokendi bu koltukların, bazıları kuştüyündendi. Hepsi de yumuşacıktı. Gemicilerden başka herkes oturmaktaydı. Aslına bakılırsa, onların da pek öyle bir iş yaptıkları yoktu hani, elleri ceplerinde dolaşıyorlardı. Herkesin elinde ya bir dilim ekmek ya bir parça çikolata ya da bir tavuk budu vardı. Kaptan, kaptan köprüsündeki kaptan koltuğuna gömülmüştü. Yanı başındaki sehpada çeşitli yemişler duruyordu.

Herkes şendi, neşeliydi... şişmandı! Annesiyle babasının tombul arkadaşlarını hatırladı Ünal; ama onlar, Göbekistan Gemisi'nin yolcuları yanında çöp gibi kalırlardı doğrusu. Ünal o güne kadar böylesine kocaman göbekler, böylesine pembe yanaklar görmemişti.

Çevresine şaşkınlıkla bakınırken, çenesinde en aşağı dört gıdısı olan bir kadın yaklaştı yanına.

"Sen Yeryüzü'nden geliyorsun, öyle değil mi?" dedi.

"Evet," dedi Ünal. "Galiba öyle."

"Hemen anladım Yeryüzü'nden geldiğini," dedi şişman kadın. "Ama bakıyorum, sen de Şişko'sun, hem de birinci sınıf bir Şişko."

Ünal, öfkeyle, "Şişko değilim ben!" diye bağırdı. "Babam..."

Yolculardan bazıları, Ünal'ın sesini duyunca uyanmışlardı. Biraz ötedeki yaldızlı, kırmızı bir koltukta uyumakta olan beyaz sakallı, şişman mı şişman bir adam gözlerini açarak onlara baktı.

"Ne var, bir şey mi oldu?" diye sordu.

Şişman kadın, saygıyla, "Özür dilerim, Ekselans," dedi. "Yeryüzü'nden gelen bu çocuk kendisine Şişko dediğim için şaşırdı."

Yaşlı adam gülümsedi.

"Genç dostum," dedi Ünal'a, "şişko olduğun için böbürlenmelisin. Hele böyle bir zamanda. Şişko kardeşlerin büyük bir zafer kazandılar."

Ünal'ın öfkesi yatışmamıştı daha. "Şişko kardeşlerim mi? Şişko kardeşlerim de kimlermiş?" dedi.

Yaşlı kadın, "Aman," dedi, "sen kiminle konuştuğunu biliyor musun? Karşındaki Prens Şişgöbek'tir. Onunla konuşurken 'Ekselans' de."

Prens Şişgöbek, anlayışlı anlayışlı gülümsedi. "Haritayı getirin bana," dedi.

Getirdiler. Tıpkı İlkay'ın gördüğü haritaya benziyordu, bir tek değişiklik vardı yalnızca: Sısko Adası'nın adı bu haritada Şişka Adası olarak geçiyordu.

Ünal, bir süre haritayı inceledikten sonra, Prens tatlı bir sesle, "Genç dostum," dedi, "yorgunum, biraz daha kestireyim. Ama uzaklaşma. Söyleyeyim de, sana bir koltuk, biraz yiyecek, bir de tarih kitabı getirsinler. Oku da, gideceğin yer hakkında bilgi edin."

Yanındaki delikanlıya bir şeyler söyledi. Delikanlı gidip bir tarih kitabı getirdi. Ünal kuşkuyla kitaba baktı.

O sırada şişman bir gemici yaklaştı yanlarına; elindeki pastaları, yemişleri, kakaoyu bir sehpanın üstüne koydu; bir de koltuk çekti. Yiyecekler öyle hoşuna gitti ki Ünal'ın... koltuğa çöküp bir yudum kakao içti, pastalardan birini ağzına attı.

"Şu şişkolar da nasıl yaşanacağını biliyorlar doğrusu," diye düşünüyordu bir yandan da. Delikanlının getirdiği kitabı açtı:

Kitabın ilk sayfası şöyleydi:

"ŞİŞKOLAR TARİHİ"

Bölüm I

Tombullar, Göbeklilerin Gelişi.

I. Tostombul (1023 - 1407)

1. Eskiden, ülkemizin adı Tombulistan'dı. Tombu-listan'da yaşayanlara Tombullar denirdi. Tombullar hem yiğit hem de son derece görgülü kimselerdi. Kendi aralarında sayısız derebeyliklere bölünmüşlerdi. Başlarında kralları yoktu.

2. Sekizinci yüzyılda Kumgöbek Çölü'nden bazı atlılar geldi. Bu atlılara Göbekliler deniyordu. Savaş-mayı çok seviyorlardı. Sayıca Tombullardan azdılar, ama kısa zamanda Tombulistan'ın kuzey bölgesini ele geçirdiler. Göbekyurt kentini kurdular.

3. Tombullar, Göbeklilere karşı koymadılar. Zamanla bu iki ulus kaynaştı, ortaya yeni bir kuşak, Şişkolar kuşağı çıktı. Şişkolar, Tombullar kadar görgülü, Göbekliler kadar da savaşçıydılar.

4. 1023 yılında Tombullarla Göbekliler bir araya gelerek, bir Tombul derebeyiyle bir Göbekli prensesinin oğulları olan I. Tostombul'u kendilerine kral seçtiler. Devletin adının Göbekistan Krallığı olması kararlaştırıldı, Göbekyurt da ülkenin başkenti yapıldı.

Ünal buraya kadar okumuştu ki, şişman gemici geldi yine, boşalmış kakao fincanını aldı, yerine bir tabak çorbayla biraz peynir bıraktı.

Ünal çekinerek, "Yiyecek mi getirdiniz yine?" diye sordu.

"Öğle yemeğine daha bir saat var," dedi gemici. "O zamana kadar karnınız acıkır."

Çorbaya bayılırdı Ünal. Tabağı eline alıp koltuğa gömüldü, kitabın son sayfalarını açtı.

"Madem Göbekistan'a gidiyorum, son zamanlarda neler olup bittiğini bilmem gerek," diye düşünüyordu.

Son bölüm şöyle başlıyordu:

XXXII. Tostombul (1923 - 19...)
Sıskaların Yeni İstekleri.
Tutsak Ordular Savaşı (1928)
Göbecik Antlaşması (1929)

BÖLÜM LIV

1. *Babasının sofrada çatlayarak ölmesinden son-*
ra başa geçen Kral XXXII. Tostombul, eşsiz bir hüküm-
dardır. Ülkeyi ondan daha şişman bir kral yönetme-
miştir. XXXII. Tostombul, saray mutfağının kapılarını
halka açtı, lokumdan alınan vergiyi kaldırdı. Şişkolar
tam mutluluğa kavuşacaklardı ki, ortaya Kemikistan'da
yaşayan Sıskalar çıktı...

"Kemikistan mı?" diye düşündü Ünal. "İlkay'ın bindiği gemi Kemikistan'a gidiyordu galiba." Sonra yanında durmakta olan şişman gemiciye dönerek, "Sıskalar da kim?" diye sordu.

Gemici, üzgün üzgün havaya kaldırdı ellerini. "Ahh," dedi. "Sıskaların kim olduğunu soruyorsunuz. Söyleyeyim. Ama daha önce gidip bir koltuk getireyim kendime."

Gitti, birkaç dakika sonra, elinde kocaman bir sandviçle döndü. Tavuklu-peynirli-yumurtalı-dilli-salamlı bir sandviçti bu. Bir de koltuk getirmişti. Ünal'ın yanına oturdu.

Her cümleden sonra dinlenmek için biraz durarak, "Sıskalar," dedi, "körfezin karşı yakasında yaşarlar. Korkunç bir görünüşleri vardır. Çöp gibidirler. İskelet gibi kemikli, limon gibi sarıdırlar. Acayip insanlardır. Kırk yılda bir yemek yerler, sudan başka bir şey içmezler, üstelik gönüllü olarak da çalışırlar. Bize ne, deyip geçiyorduk önceleri, ama işlerimize karışmaya kalktılar. Biz Şişkolar kimsenin işine karışmayız. Sıskalar ise herkesin kendileri gibi olmasını isterler. Bir örnek vereyim: Körfezin ortasında küçücük bir ada var. Şişka Adası. İnanmazsınız ama, bu adada yaşayanların canlarını çıkardı Sıskalar. İki yıl önceydi, adanın şişman halkını kendilerine uydurmaya kalkıştılar. Öğle yemeği yedirmediler kimseye, herkesi haftada altı gün çalıştırdılar. Adadakiler buna dayanamadılar tabii, bizden yardım istediler. Biz de onları korumak zorunda kaldık."

"Savaş mı çıktı?" diye sordu Ünal.

Şişman gemici, şaşkınlıkla, "Ne!" diye bağırdı. "Yani bilmiyor muydunuz? Yeraltı'ndaki savaşların en korkuncuydu bu. Tutsak Ordular Savaşı."

"Tutsak Ordular Savaşı mı? O da ne demek?"

"Kucağınızdaki tarih kitabını okursanız göreceksiniz, bu savaşta iki ordu da tutsak oldu."

"İnanılmaz bir şey."

"Okuyun, inanırsınız," dedi gemici.

Ünal da yüksek sesle okumaya başladı:

2. *Kumgöbek Çölü'nü geçmenin olanaksız olduğu daha önceki savaşlarda anlaşılmıştı. Şişkolar Genelkurmayı, Kemikistan kıyılarına denizden saldırmayı kararlaştırdı. Ordu, başlarında Mareşal Pofuduk olmak üzere, gemilere binip 15 Mayıs'ta denize açıldı. Çok başarılı bir çıkarma yapıldı. Kemikistan kolayca ele geçirildi. Göbekistan Ordusu, 3 Haziran'da Kemikkent'e girdi.*

3. Kötü bir rastlantı yüzünden, General Cıpcılız'ın komutasındaki Kemikistan Ordusu, aynı gün Göbekyurt'a girmişti. Sıskalar Genelkurmayı aylarca süren gizli hazırlıklardan sonra Kumgöbek Çölü'nün geçilmesine karar vermişti. Kemikistan Ordusu, Kumgöbek Çölü'nde hiçbir engelle karşılaşmadıkları için bu kararı başarıyla gerçekleştirdiler. Çok yazık!

4. Göbekyurt'u ele geçiren Sıskalar, kendi ülkelerine nasıl döneceklerini kara kara düşünmeye başladılar; çölü geçerken bütün tankları, bütün taşıtları bozulmuştu. Kemikistan'a denizden gidebilmek için donanmaları da yoktu. Savaşı kazanmışlardı, ama geri dönemedikleri için tutsak olup çıkmışlardı.

5. Bu arada, Göbekistan Donanması da Demir İğne Kayaları'na oturmuştu. Bu yüzden, Şişkolar da ülkelerine dönemiyorlardı; Kemikkent'te kalmışlardı. İki ordu da savaşı kazanmıştı gerçi, ama Şişkolar da, Sıskalar da tutsak olmuşlardı. Onun için, bu savaşa Tutsak Ordular Savaşı denir.

6. *Tek çıkar yol vardı: bir barış antlaşması imzalamak. Kral Tostombul ile Başbakan Kepkemik, deniz kıyısındaki Göbecik kentinde buluşup aşağıdaki koşullarda bir anlaşma imzaladılar:*

a) Şişka Adası tarafsız bir ada olacaktır.

b) Elbirliğiyle çalışılacak, her iki ordunun ülkelerine dönmeleri sağlanacaktır.

c) Ertesi bahar Göbecik'te bir toplantı yapılacak, Göbekistan'la Kemikistan arasındaki anlaşmazlıkların ortadan kaldırılması sağlanacaktır.

7. *Mareşal Pofuduk'un komutasındaki ordu, ekim sonunda Göbekistan'a geri döndü, büyük törenlerle karşılandı. Göbekyurt Yönetim Kurulu, Kral XXXII. Tostombul'a "Korkusuz Tostombul" denilmesini, Mareşal Pofuduk'a da "Kemikistan Dükü" denilmesini kararlaştırdı.*

Ünal kitabı bitirmişti, çorbasını içmeye başladı. Çorba da öyle güzel bir çorbaydı ki...

Kemikistan'a Varış

"Bütün anlaşmazlık bu adadan çıkıyor," dedi Bay Çokkemik.

"Neden?" diye sordu İlkay.

Bay Çokkemik cebinden küçücük bir kitap çıkarıp İlkay'a verdi.

İlkay kitabın kapağına baktı:

"SISKALAR TARİHİ"

"Bu kitabı okumadım," dedi. *"Sevdalı Bulut'u, Küçük Kara Balık'ı, Şeker Portakalı'nı, Kibritçi Kız'ı* okudum, ama bunu okumadım."

Bay Çokkemik, son sayfalardan birini açarak, sert sert, "Oku!" dedi.

İlkay sayfada şu başlığı gördü:

Bölüm LIV
Başbakan Kepkemik (1925 - 19...)
Şişkoların Saçma İstekleri.
Tutsak Ordular Savaşı
Göbecik Antlaşması

"Şişkolar mı?" dedi. "Şişkolar da kim?"

"Şişkolar," dedi Bay Çokkemik, "körfezin karşı kıyısında yaşarlar. Korkunç bir görünüşleri vardır. Top gibidirler. Balon gibi yuvarlak, domates gibi kırmızıdırlar. Kedi gibi de tembeldirler üstelik. Yer, içer, sabahtan akşama kadar uyurlar. Bıraksanız, bu kötü alışkanlıklarını Yeraltı'ndaki bütün ülkede yayacaklar. Bir örnek vereyim: Körfezin ortasında küçücük, güzel bir ada var. Sısko Adası. İnanmazsın ama, bu adada yaşayanların canlarını çıkardı Şişkolar. İki yıl önceydi, adanın zayıf halkını kendilerine uydurmaya kalkıştılar. Tatillerini geçirmek için bu adaya gelirlerdi. Adadakiler dayanamadılar tabii, bizden yardım istediler. Biz de onları korumak zorunda kaldık."

"Savaş mı çıktı?" diye sordu İlkay.

Bay Çokkemik, öfkeyle, "Ne!" diye bağırdı. "Yani bilmiyor muydun? Tarihin en büyük savaşıydı bu. Tutsak Ordular Savaşı."

"Tutsak Ordular Savaşı mı? O da ne demek?"

"Verdiğim kitabı dikkatle okursan göreceksin, bu savaşın sonunda iki ülkenin ordusu da tutsak oldu."

"İnanılmaz bir şey," dedi İlkay.

Bay Çokkemik, sertçe, "Oku!" dedi.

İlkay okumaya başladı:

1. *Şişkoların barışla yola gelmeyeceklerini anlayan Kemikistan, onları savaşla yola getirmeye karar verdi. Kemikistan Ordusu'nun Başkomutanı General Cıpcılız, o güne kadar gerçekleştirilememiş bir şeyi gerçekleştirmeyi başararak Kumgöbek Çölü'nü geçti. Üç haftada Göbekyurt kapılarına dayandı.*

2. Yazık ki, Göbekistan Donanması da aynı anda Kemikistan'a girerek Kemikkent'i ele geçirmişti. Ama kahraman Kemikistan denizcileri, Göbekistan Donanması'nı Demir İğne Kayaları'nda parçaladılar. Şişkolar, ele geçirdikleri ülkede tutsak kaldılar.

3. General Cıpcılız, Şişkoların düştüğü bu kötü durumdan yazık ki yararlanamadı. Kemikistan Ordusu, Kumgöbek Çölü'nü geçerken bütün taşıtlarını yitirmişti, Kemikistan'a dönemiyordu. Onlar da Göbekyurt'ta kaldılar. Onun için, bu savaşa Tutsak Ordular Savaşı denir.

4. 12 Temmuz 1928'de Göbecik kentinde bir antlaşma imzalandı, iki ordunun ülkelerine dönmesi sağlandı. Ekim başlarında Kemikkent'e dönen General Cıpcılız, bir süre sonra Kıtyemek Köyü'ne çekildi. Şimdi orada yaşamakta, günlerini beden eğitimi yaparak geçirmektedir.

Tam bu sırada, geminin düdüğü iki kere öttü.

İlkay başını kaldırdı, bir şaşkınlık çığlığı atarak küpeşteye yaslandı.

Koca bir rıhtım görülüyordu biraz ötede. Rıhtımda evler vardı. Daracık, uzun evlerdi bunlar, kitaplardaki kule resimlerine benziyorlardı. Duvarları pembeye boyanmıştı. Her yanda Kemikistan'ın kırmızı-mavi bayrakları dalgalanıyordu. Evlerin çoğu yıkık olmasa, kent göze daha da güzel görünecekti.

"Bu evleri Göbekistan Donanması yıktı," dedi Bay Çokkemik.

Sıskalar, pasaportu olmayan yolcuları Kemikistan'a almıyorlardı, ama araya Bay Çokkemik girdi de İlkay gümrükten kolayca geçti. Göğsünün, karnının ölçüsünü aldılar; sonra ufacık bir tartıda tarttılar. Yaşını sordular.

Bay Çokkemik, Kemikkent trenine bindirdi onu. Tren oldukça rahattı, ama daracıktı. İki dünyalıyla bir Şişko'nun oturduğu yere dört Sıska rahatça sığabili-

yordu. Ellerindeki listeye bakıp yaşıyla kilosunu karşılaştırdılar. Neyse ki, Sıskalar kadar zayıftı İlkay.

Yoldaki evler de, rıhtımdaki evler gibi daracıktı, uzundu, İlkay'ın o güne kadar gördüğü evlere benzemiyordu hiçbiri.

Bütün odalar üst üsteydi, her katta bir tek oda vardı yalnızca.

Ortada kavaktan başka ağaç, tazıdan başka hayvan görülmüyordu.

Bu acayip, küçücük treni incelerken, "Şimdi Ünal burada olsaydı," diye düşündü İlkay. "Oyuncak trenlerle oynamaya bayılır."

Ama Ünal uzaklardaydı herhalde; İlkay'ın üzüntüsü arttı.

O sırada, "Kemikkent'e geliyoruz," dedi Bay Çokkemik.

Biraz sonra, büyük bir kentin evlerini gördü İlkay.

Prens Şişgöbek

İlkay, Kemikistan'ı görünce nasıl şaşırdıysa Ünal da Göbekistan'ı görünce öyle şaşırdı. Kemikistan'daki evler daracıktı, uzundu; Göbekistan'daki evler ise genişti, yuvarlaktı. Topa benziyordu hepsi de. Prens Şişgöbek'in anlattıklarına bakılırsa, o evlerde oturanlar sanki evde değil de, kocaman bir karpuzun içinde oturuyormuş gibi olurlarmış. Göbekistan mimarlarının eşsiz bir buluşuymuş bu.

Prens Şişgöbek'in yardımıyla gümrükten kolayca geçti Ünal. Yalnızca tartıldı, şişman olduğu anlaşılınca Göbekistan'a girmesine izin verildi.

Ünal çevresine baktıkça sevinçten ellerini çırpıyordu. Koca göbekli Şişkolarla doluydu sokaklar. Duvarlarda afişler vardı:

HOŞHOŞ ÇİLEK SULARI
TOMBALAK GAZOZLARI
BALLIREÇEL PASTALARI

Köşelerdeki makinelerin düğmelerine basınca çeşit çeşit içecekler akmaya başlıyordu musluklardan; üst üste yığılmış kâğıt bardaklardan birini alıp dilediği içecekle dolduruyordu insan, canı istediği kadar da içiyordu. Kimsenin başını çevirip baktığı bile yoktu. Küçücük kızlar, kocaman pastalar satıyordu. Çikolatalı pastalar, otomobil lastiklerine benziyorlardı. Bir pasta yiyen, iki gün acıkmazdı herhalde. Kremalı pastalar da kuştüyü yastıklar gibiydi. Yazık ki, Ünal'ın parası yoktu. Hem zaten Prens Şişgöbek'i gözden kaçırmak istemiyordu.

Treni görür görmez bir çığlık attı Ünal. Büyük mü büyük bir trendi bu. Rayların arasındaki uzaklık en aşağı beş metreydi. Prens Şişgöbek, Ünal'ı kendi özel vagonuna bindirdi. Kompartımanlardan birini göstererek, "Sen burada otur," dedi. "Ben yandaki kompartımandayım. Çalışacağım. Çok önemli bazı işlerim var."

İşleri de ne önemliymiş ya... Biraz sonra, Prens Şişgöbek'in horultusunu duydu Ünal.

Alabildiğine tombul bir garson geldi Ünal'ın kompartımanına; elindeki resimli, yaldızlı yemek listesini uzatarak, "Öğle yemeği yiyecek misiniz efendim?" diye sordu.

Bu "efendim" sözü çok hoşuna gitti Ünal'ın. Garsonun uzattığı listeye bir göz attı:

TOPTOP ÇORBASI

ŞENKUZU PİRZOLASI

PUFBÖREĞİ

BOLDOLMA

Liste uzayıp gidiyordu.

"Kaç çeşit yemek seçebilirim?" diye sordu Ünal.

Garson şaşırmıştı. "Kaç çeşit isterseniz seçebilirsiniz efendim," diye karşılık verdi.

Göbekyurt'a gelinceye kadar yemek yedi Ünal. Pencereden dışarı baktı. Kırlar gördü, semiz inekler gördü, Şişko çiftçilerin oturduğu yuvarlak evler gördü. Çocukların en sevdiği oyuncak, balondu anlaşılan. İnsan nereye baksa balon görüyordu. Hele Göbekyurt'a gelirken o kadar çoğaldı ki balonlar, gökyüzü görünmez oldu. Balonların bazıları ışıklıydı.

Göbekyurt'un yuvarlak evleri sokak fenerleriyle aydınlatılmıştı. Öyle güzel görünüyorlardı ki...

"Burası tam bana göre bir yer," diye düşündü Ünal.

Ama yalnızlık duymaya başlamıştı. Babası geldi aklına. Herhalde İkiz Kayalar'ın yanında oğullarını aramaktaydı şimdi. O da burada, Göbekistan'da olabilseydi! Yürüyen merdiveni bulabilir miydi acaba? Ansızın karşısına çıkıverseydi, ne hoş olurdu.

Üzüntüyle, "İşin kötüsü, babam zayıftır," diye düşündü Ünal. "Yani Sıska'dır. Kemikistan gemisine bindirirler onu. İlkay'ı belki bulur, ama beni bulamaz. Anlaşılan annemi de, babamı da, İlkay'ı da bir daha göremeyeceğim artık."

Ama durmadan ahlayıp oflayacak çocuklardan değildi Ünal; üzüntüsünü çabucak unutuverdi. Kısa zamanda Şişkolara ısındı, onları sevmeye başladı. Çok sevimli insanlardı Şişkolar. Hiç öfkelenmiyorlardı; ağızlarından bir tek kötü söz çıkmıyordu. Üzüntü nedir bilmiyorlardı. Bütün gün gülüyor, oynuyor, eğleniyorlardı; yemeklerden başka bir şey hakkında konuştukları yoktu. Her saat başında karınlarını doyuruyorlar, sonra da on beş dakika kestiriyorlardı. Keyiflerini kaçıran tek şey, Sıskalardan söz açılmasıydı. Bu da şaşılacak bir şey değildi doğrusu. Tutsak Ordular Savaşı'nda Kemikistan Ordusu, Göbekistan'daki evlerin çoğunu yerle bir etmişti.

Şişkolar, buna karşın, komşularıyla iyi geçinmek istiyorlardı.

"Doğru," diyorlardı, "Sıskalar hiçbir şeyden anlamazlar; ne yemek yerler ne meyve suyu içerler ne de gülerler. Ama iki ayrı ülkenin insanları değişik şeylerden hoşlanıyorlar diye ille de savaşmalı mı? Gelip evlerimizi yıktılar, yurttaşlarımızı yaraladılar, balonlarımızı patlattılar."

Göbecik Toplantısı'nın tarihi yaklaşmıştı; o toplantıda alınacak kararlarla iki ülke arasındaki anlaşmazlıkların giderileceğini umuyorlardı.

Ünal, bir gün, "Göbekistan'la Kemikistan arasındaki bu sonsuz düşmanlık neden çıktı?" diye sordu Prens Şişgöbek'in oğluna.

Prens Şişgöbek'in oğlu, "Söylesem gülersin," dedi. "Aslına bakarsan, Sıskalar da, biz de, Şişka Adası'nın bağımsız kalması gerektiğine inanıyoruz. Ada, Sıskaların eline geçerse bizim rahatımız kaçar; bizim elimize geçerse Sıskaların rahatı kaçar. Sıskalarla adanın adı üzerinde anlaşamıyoruz. Onlar Sısko Adası demek istiyorlar, biz Şişka Adası demek istiyoruz."

"Ne çıkar bundan? Ha Sısko olmuş, ha Şişka," dedi Ünal.

Prens Şişgöbek'in oğlu, "Bana göre hava hoş," diye karşılık verdi, "ama babama bakılırsa Şişkolar adanın Sısko Adası diye adlandırılmasına izin veremezlermiş."

"Ne yapacaksınız öyleyse?"

"Söyledim ya. Bir ay sonra Göbecik kentinde bir toplantı var. Üç Şişko'yla üç Sıska bir araya gelip ko-

nuşacaklar, tartışacaklar, bir çözüm yolu bulmaya ça-
lışacaklar."

"Böyle toplantılar çok yapılır bizde," dedi Ünal.
"O kadar çok yapılır ki, herkes alıştı artık. Kimse ilgi-
lenmiyor."

Prens Şişgöbek'in oğlu, "Yeraltı'ndaki ilk toplan-
tı olacak bu," dedi. "Bize kalsa, hiç ilgilenmeyiz bile;
ama Sıskalar bu toplantıya çok önem veriyorlar."

Prens Şişgöbek, bir süre sonra Ünal'ı kendine
sekreter yaptı. Yazısı çok güzeldi Ünal'ın, sınıfın bi-
rincisiydi; ama doğrusunu söylemek gerekirse, bu-

nun kendisine neler sağlayabileceğini o güne kadar hiç mi hiç düşünmemişti. Yazısı güzel olduğu için Prens Şişgöbek'in sekreterliğini yapmaya başladı. Sekreter olduğu için de, ülkenin en önemli kişileriyle; Aşçıbaşı'yla, Pastacıbaşı'yla, Şerbetçibaşı'yla tanıştı. Kral XXXII. Tostombul'la bile tanıştırıldı.

Saraya girerlerken, "Sakın unutma," dedi Prens Şişgöbek, "Kral'la konuşurken ya 'Sayın Kral' ya da 'Majeste' diyeceksin."

Ama tahtın yanına yaklaşınca bütün öğrendiklerini unutuverdi Ünal. Kral Tostombul'un göbeği öylesine büyük, öylesine yuvarlaktı ki, Ünal'ın şaşkınlıktan dili dolaştı.

"Ey Tostombul," dedi. Sonra kendini topladı. "Yani Majeste demek istiyorum..."

Neyse ki, Kral Tostombul da öteki Şişkolar gibi şaka kaldıran biriydi. Göbeğine yaraşır bir kahkaha attı. Yeryüzü yemekleri hakkında beş dakika konuştu Ünal'la. O yemeklerden bazılarını bildiğini söyledi. Söz verdi, Ünal'ı bir gün yemeğe çağıracak, ona özlediği Yeryüzü yemeklerini yedirecekti. Büyük bir incelikle, "Böylece kendi ülkeni de hatırlamış olursun," dedi.

O sırada sırmalı, kırmızı üniformalı bir subay girdi salona. Göğsü madalyalarla doluydu. Ünal saymak istedi madalyaları, sayamadı; subayın göğsü kapı kadar genişti çünkü.

Prens Şişgöbek eğilerek, "İşte Mareşal Pofuduk, Kemikkent Dükü," diye fısıldadı Ünal'ın kulağına. "En büyük kahramanımız."

"Günaydın, Mareşal," dedi Kral. "Göbecik'e gideceksin, değil mi?"

"Bilmiyorum, Majeste," dedi Mareşal Pofuduk. "Gönderirseniz seve seve giderim."

"Ne?" dedi Kral. "Barışı sana borçluyuz; seni göndermeyeceğim de kimi göndereceğim?"

Mareşal Pofuduk, derin derin içini çekti. "Majeste," dedi, "bir asker ne zaman mutlu olur, biliyor musunuz? Barış antlaşması imzalandığı zaman. Günün

birinde Göbekistan'la Kemikistan arasındaki anlaşmazlıkları ortadan kaldırabilirsem ne mutlu bana!"

"Başaracaksın bunu," dedi Kral. "Hadi, barışı şimdiden kutlayalım."

Saraydaki uşaklardan biri, insan boyunda bir şampanya şişesi getirdi. Şişe o kadar büyüktü ki, bir el arabasında taşınıyordu. Şampanyanın birazını altın bir kupaya boşalttı uşak. Önce Kral, sonra da Mareşal Pofuduk içtiler. İçerken birbirlerinin gözlerine bakıyorlardı. Ünal'ın hoşuna gitti bu. Ah, büyük olsaydı da şampanyadan biraz da o içseydi...

Kral, öteki Şişkolar gibi, saatte bir uyumazdı; yarım saatte bir uyurdu. Biraz kestirmek için yatak odasına çekilince, Prens Şişgöbek, Mareşal Pofuduk'a döndü. "Mareşal," dedi, "isterseniz genç dostumla biraz konuşun. Yeryüzü'nde savaşların nasıl yapıldığı konusunda bilgi versin size. Bana çok tuhaf şeyler anlattı. Yeryüzü'ndeki savaşlarda top ateşinden korunmak için askerler çukur kazarlarmış."

"Ben de duymuştum bunu," dedi Mareşal Pofuduk. "Yeryüzüne gizlice birkaç asker göndermiştim o çukurları incelesinler diye. Bir kere, o çukurlara çukur değil, siper denirmiş. Bizim işimize pek yaramazmış. Bizim kazacağımız siperler o kadar geniş olur ki, siperlikten çıkar. Siperlerin dar olması gerekir, dar olunca da bizim askerler içine sığmazlar. Sonra, sizin de bildiğiniz gibi, Şişkolar çalışmaktan hiç hoşlan-

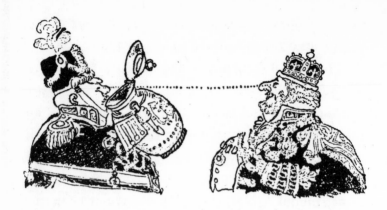

mazlar. Savaş yorucu olmasın da, nasıl olursa olsun... isterse tehlikeli olsun. Yeter ki, çabucak bitsin, yiyelim, içelim, uyuyalım." Ünal'a dönerek, "Savaşta hangi yemekleri yeriz, biliyor musun?" dedi. "Hiç ağaçkakan dolması yedin mi?"

Ondan sonra da durmadan yemeklerden konuştu.

Prens'in sekreteri olduğu için, bütün toplantı hazırlıklarını yakından izliyordu Ünal. Şişkoların barışsever insanlar olduğu apaçık ortadaydı. Barışın sağlanması için ellerinden geleni yapmaya hazırdılar; yalnızca, adanın Sısko Adası olarak adlandırılmasına karşıydılar, o kadar. Ünal da, adaya Şişka Adası denilmesi gerektiğini düşünüyordu.

Göbekyurt'taki herkes toplantının başarıyla sonuçlanacağına, bir barış anlaşması imzalanacağına inanıyordu. Devletin yüksek memurları, Göbecik toplantısına katılmayı umuyorlardı. Ama yazık ki, Şişkolardan yalnızca üç kişi katılacaktı toplantıya; bu üç kişinin adları gazetelerde yayımlandığı zaman, herkes düş kırıklığına uğradı. Neyse ki, neşeli insanlardı Şişkolar; biraz yemek yer yemez yeniden gülüp eğlenmeye başladılar.

Toplantıya aşağıdaki kişiler katılacaktı:

Prens Şişgöbek.

Kemikkent Dükü Mareşal Pofuduk.

Tarih Kurumu Başkanı Profesör Pufpuf.

Profesör Pufpuf, Şişka Adası'nın tarihini herkesten iyi bildiği için seçilmişti. Tam yüz yirmi üç ciltlik bir kitap yazmıştı bu konuda. Prens Şişgöbek, onun sonsuz bilgisinden yararlanılacağını düşünüyordu. Ama Göbekyurt'taki Şişkolar, üç kişilik kurula onun

da seçilmesinden pek hoşlanmadılar; Profesör Pufpuf pek öfkeli bir insandı çünkü, kızdı mı gözü hiçbir şeyi görmezdi. Neyse ki kurulda Prens Şişgöbek ile Mareşal Pofuduk gibi uysal iki kişi daha vardı.

Göbecik'e doğru yola çıkmadan bir gün önce, Prens Şişgöbek, Ünal'ın da toplantıya katılacağını bildirdi. Sekreterleri arasından onu seçmişti. Kim bilir, Yeryüzü'nden gelen bir sekreter olduğunu göstererek Sıskalara caka satacaktı belki.

Zayıflama Bakanı Boştabak

Ünal, Şişkolara gittikçe alışırken, İlkay da, Sıskaları yakından inceliyordu.

Birçok bakımdan saygıdeğer insanlardı Sıskalar. Yeryüzü'ndekilerden daha çok çalışıyorlardı. İlkay, babasının yemeklerden sonra oturup kahve içmesine, sonra da kendileriyle oynamasına alışmıştı. Ama otuzunu aşmış bir Sıska'nın oyun oynadığı görülmüş şey değildi. Kemikistan'da oynanan tek oyun futboldu; onu da gençler oynardı yalnızca. Toplar da bir acayipti; ince, uzun bir şeylerdi.

Sıskalar için dünyada en önemli şey, zamandı.

Birbirleriyle buluşacakları zaman yalnız saatle daki-
kayı değil, saniyeyi de kararlaştırırlardı. Sözün gelişi;
6 saat 17 dakika 3 saniye ya da 3 saat 14 dakika 22
saniye sonra buluşmak için sözleşirlerdi. Çokkemik-
lerin evinde günde iki kez yemek yenirdi: sabahleyin
tam sekizde, bir de akşamleyin tam sekizde. Öğle ye-
meği diye bir şey yoktu. Çocuklar yemek saatinde
sofrada bulunamazlarsa aç kalırlardı. Sofra da ne
sofraydı ya! Ayakta yemek yerdi herkes. Çok az, çok

İnsan yemek için yaşamamalı...

çabuk yerlerdi. Kentte hiç lokanta yoktu. Makarna gibi, hesap makinesi gibi şeyler satan dükkânlar vardı yalnızca. Bay Çokkemik, yemeklerden önce ufacık tabağın başında dikilir, Yeryüzü yazarlarından birinin söylediği şu cümleyi tekrarlardı: "İnsan yaşamak için yemeli, yemek için yaşamamalı."

Aritmetikte Sıskaların üstüne yoktu. Herkesin cebinde bir gelir-gider defteri bulunurdu. Paraları altından, gümüşten, bir de çeşitli uzunluklardaki bakır

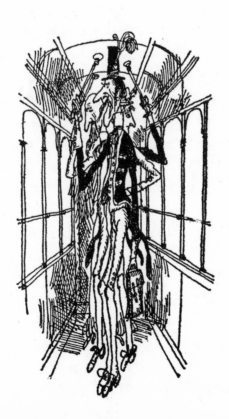

tellerdendi. Kadının biri otobüse binip bilet parası olarak iki tane bakır tel mi verdi, cebinden defterini çıkarıp hemen yazardı bunu. Hem de ayakta yazmak zorundaydı, çünkü oturacak yer yoktu otobüslerde. Ülkenin en zengini olan Kemikistan Makarna Fabrikası Genel Müdürü Bay Çöpkemik'in özel otomobilinde bile oturacak yer yoktu. Sıskalara göre, rahatlık bir tembellik belirtisiydi. Evler son derece yüksekti, ama asansör kullanılmıyordu. İlkay o dik merdivenleri tırmanırken soluk soluğa kalıyordu.

Kemikistan'ın en büyük fabrikası Makarna Fabrikası'ydı. Ülkede sosisçilikle mumculuk da gelişmişti. Yuvarlak şeylerden hiç hoşlanmazlardı Sıskalar; bu yüzden, tekerlek gibi, otomobil lastiği gibi şeyler yapmazlar, onları Şişkolardan alırlardı. Karşılığında da ince, uzun şeyler satarlardı onlara: otomobil tamponu, çelik tel, makarna, sosis gibi...

Zamana bu kadar önem verilen bir yerde işlerin Yeryüzü'nde olduğundan daha iyi yürümesi şaşılacak bir şey değildi tabii. İlkay babasının telefon başında öfkelendiğini az mı görmüştü? İstediği numarayı bir türlü düşüremezdi Ferit Bey. Kemikistan'da ise telefon ettiğiniz kimse şıp diye karşınıza çıkıyordu. Öğrencilere bütün okullarda bütün dersler aynı anda öğretiliyordu. Zamana verilen bu önem, İlkay'ın hoşuna gitti. İnsanın her işi tıkırında gidiyordu doğrusu.

Evet, birçok bakımdan saygıdeğer insanlardı Sıskalar; kötü yürekli değillerdi, ama yazık ki, kıskançtılar. Sıskalardan birinin eline bir şey mi geçti, Kemikistan'daki herkes aynı şeye sahip olmak isterdi. Sokakta yürürken, kavga edenlere rastlanırdı adım başında. Bay Çokkemik, öğretmen arkadaşlarını çekiştirirdi durmadan. Üç çocuğu vardı, üçü de birbirini kıskanırdı. Birisiyle arkadaşlık etmeye kalksanız ötekiler hemen suratlarını asarlardı. Anneler de, babalar da çocuklarına çok sert davranırlardı. Gün aşırı dayak atarlar, bunu da onların iyilikleri için yaptıklarını söylerlerdi.

Bay Çokkemik, İlkay'ı kendi çocuklarıyla okula göndermedi. Durup dururken bir de onun için okul parası vermek istemiyordu.

"Kemikistan'da kalmak istiyorsan bir işe gir, para kazan," dedi. "Senin iyiliğin için söylüyorum."

"Ne iş yapabilirim?" diye sordu İlkay.

"Bir sürü şey yapabilirsin. Yazın çok güzel. İstersen sekreterlik yap."

"Sekreterlik mi? O da ne demek?"

"Birinin yanında çalışıp onun mektuplarını yazan, tutulacak notları tutan kimselere sekreter denir."

"Ama ben mektup yazmayı hiç sevmem," dedi İlkay.

"Sevip sevmediğini sormadım sana," dedi Bay

Çokkemik, "Kemikistan'da kalmak istiyorsan kendi ekmeğini kendin kazanmalısın. Senin iyiliğin için söylüyorum. Yarın sana bir iş bulabilirim."

Ertesi gün eve gelince, "Bir iş buldum," dedi. "Boştabak'ın yanında çalışacaksın. Boştabak uzun zamandır bir sekreter arıyormuş. Yeryüzünden gelen bir sekreter."

Boştabak adını duyan Bayan Çokkemik ile üç çocuğu, kıskançlıktan bağırmaya başladılar.

"Ne kadar da talihlisin!" dediler İlkay'a.

"Kim bu Boştabak?" diye sordu İlkay.

"Kemikistan Yönetim Kurulu Başkanı," dedi Bay Çokkemik. "Aynı zamanda Zayıflama Bakanı'dır."

"Zayıflama Bakanı mı?"

Bay Çokkemik, sert bir sesle sözlerine devam etti:

"Zayıflama Bakanı Boştabak, ülkemizin en değerli kişilerinden biridir. Herkesi beşer kilo zayıflatmayı başardı, yiyeceklerin de yüzde yirmi oranında kısılmasını sağladı. Yarın sabah 6.33'te seni bekliyor."

"6.33'te mi?" dedi İlkay. "Ama ben yediden önce kalkmam ki!"

"Genç dostum," dedi Bay Çokkemik, "korkarım bundan böyle kalkmak zorunda kalacaksın. Günde bir saat kazandığını düşün. Yılda 365, altmış yılda 21.900 saat eder. Yani 912 gün! Yazık değil mi bu 912 güne? Görüyorsun ya, senin iyiliğin için söylüyorum."

Ertesi sabah erkenden kalkmasına karşın, Zayıflama Bakanlığı'na birkaç dakika geç gitti İlkay. Kapıda zayıflık reklamı gibi duran nöbetçi, defterini karıştırdı.

"İlkay mı?" dedi. "İlkay... İlkay! Evet! Sersem çocuk, saat tam 6.33'te burada olacaktın! Şimdi saat 6.37. Bakan seni azarlasın da gör gününü!"

Telefonu açıp bir şeyler söyledi; sonra İlkay'ı bir metre genişliğindeki koridordan geçirip maroken kaplı bir kapının önüne götürdü. Kapı açıldı, içeride-

ki masanın başında bıçak sırtına benzeyen bir adam gördü İlkay. Adam o kadar zayıftı ki, biraz daha kilo verse görünmeyen adam olup çıkacaktı; ama kükrer gibi konuşuyordu.

"İlkay sen misin?" diye bağırdı. "Salağın, dalgacının birisin!"

"Ama..." dedi İlkay.

"Sus! Aptalın, dalgacının birisin!"

"En iyisi, ağzımı bile açmamalıyım ben," diye düşündü İlkay, "belki yatışır."

Zayıflama Bakanı bağırmaya başlayınca yapılacak en iyi şeyin susmak olduğunu kısa zamanda anlamıştı. Kendine karşılık verilmediğini gören Bakan Baştabak, hemen yatıştı. Hep böyle olurdu zaten, öfkelenince bir cümleden fazla söylemezdi; o bir cümle de Sıskaları korkutmak için yeterdi.

Zayıflama Bakanı Boştabak, kötü insan değildi aslında, yurttaşlarının çoğundan iyiydi. İlkay zamanla alıştı ona; alıştıkça da sevdi.

İlkay'ın işi çok kolaydı. Bütün görevi, çalan telefonu açıp, "Özür dilerim, Bay Bakan şu anda çalışıyor," demekti. Gerçi sıkıcı bir işti bu, ama İlkay telefon etmekten pek hoşlanırdı. Hafta sonunda Bakan Boştabak'ın davranışlarına öyle alışmıştı ki, "Aptalın, dalgacının birisin!" diye azarlanınca sıkılmadı bile. Bakan, "Günaydın," demişti sanki.

Boştabak, ülkesini de, karısını da çok seviyordu. Bakanlığa sık sık gelen Bayan Boştabak tatlı bir kadındı. Güzeldi, öteki Sıskalardan biraz daha tombuldu. İlkay, az kalsın, "Siz Sıska değil, Şişkosunuz," diyecekti bir gün; kendini zor tuttu. Boştabak küplere binerdi sonra. Şişkoları hiç mi hiç sevmezdi Zayıflama Bakanı. "Şişkolar hayduttur, soyguncudur," derdi.

Ama karısını çok seviyordu.

Göbecik Toplantısı

Prens Şişgöbek'le yolculuk etmek son derece güzel bir şeydi. Kocaman arabalar, toplantıya katılacakları Şişmandalga Limanı'na götürdü. Limanda Kral Tostombul'un gemisi onları bekliyordu. Denizdeki bütün gemilere, kayıklara, motorlara, "Yaşasın Barış!" "Sıskalara Sevgiler!" diye yazılar asılmıştı.

Kralın gemisi, Sarı Deniz'in altın gibi dalgalarını yararak ilerlemeye başlayınca herkes koltuklara çöktü. Garson yemek listesini getirdi:

TOPTOP ÇORBASI

ŞENKUZU PİRZOLASI

PUFBÖREĞİ

BOLDOLMA

Her dakikalarını değerlendirerek Göbecik'e kadar yemek yediler. Yalnızca Profesör Pufpuf, Şişkoların Şişka Adası'nı nasıl ele geçirdikleri konusunda bir söylev verdiği için, sekiz tabak yemekle yetindi. Kaptan, geminin karaya oturması tehlikesini düşünerek, Şişka Adası'nın kıyılarına dikkatle yanaştı. Adadakiler kıyıya toplanmışlar, mendil sallıyorlardı.

Bir süre sonra Göbecik'e geldiler. Küçücük kent, iki ülkenin bayraklarıyla donatılmıştı. Toplantıya katılacak üyeleri dört Göbekistan, dört de Kemikistan askeri karşıladı. Pırıl pırıl üniformalar içindeydiler. Tam beş dakika sonra da Sıskalar geldi. Herkes saatine baktı; bir saniye bile gecikmemişlerdi.

Göbecik Toplantısı'na aşağıdaki Sıskalar katılıyordu:

Zayıflama Bakanı Boştabak.

General Cıpcılız.

Öğretmen Çokkemik.

Ünal, Sıskaların trenden inişlerine baktı merakla. Daracık, uzun vagonlar, birbirine yapışık raylar ilgisini çekmişti. Trenlere bayılırdı; çok tren görmüştü o güne kadar, ama böylesini görmemişti. Demiryolu işaretlerini de inceledi. Sınırın Göbekistan yanındaki işaretler yuvarlaktı, kırmızı-yeşil ışıklar vardı; Kemikistan yanındaki işaretler ise incecikti, ışıklar mavi-sarıydı.

Birdenbire bir sevinç çığlığı kopardı. Üç Sıska'nın arkasından kardeşi iniyordu trenden!

"İlkay!"

"Ünal!"

Birbirlerine doğru koşup kucaklaştılar. Çevredekilerin dikkatlerini çekmemek için pek bağırmamaya çalışıyorlardı. Ama Prens Şişgöbek'in gözünden kaçamamışlardı. Prens, Ünal'a bunun ne demek olduğunu sordu. Kendi sekreteriyle Bakan Boştabak'ın sekreterinin kardeş olduklarını öğrenince gözyaşlarını tutamadı, ağlamaya başladı.

Boştabak'ın yanına gidip, "Ne güzel," dedi. "Bu inanılmaz rastlantı, toplantının başarıyla sonuçlanacağını gösteriyor."

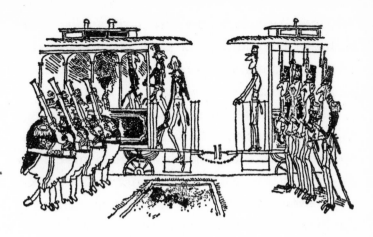

Boştabak soğuk soğuk karşılık verdi:

"Sanmıyorum."

İlk buluşmaları pek umut verici değildi. İki ülkenin işçileri bir araya gelmiş, aylarca çalışarak bir Toplantı Oteli yapmışlardı sınırda. Otelin planlarını hazırlayan mimar bu iş için Yeryüzü'nden getirilmişti. Şişkolar Sıska bir mimara, Sıskalar da Şişko bir mimara güvenemiyorlardı. Ortaya güzel bir yapı çıkmıştı gerçi, ama Şişkolar da, Sıskalar da beğenmediler bu yapıyı.

Profesör Pufpuf, içini çekerek, "Çok dar olmuş," dedi.

General Cıpcılız, öfkeyle, "Çok geniş olmuş," dedi.

Otele girince işler daha da karıştı. Mimar, kendisine söylenen şeylere hiç kulak asmamış, yaptığı oteli Yeryüzü'ndeki otellere benzetmişti. İlk güçlük, döner kapıda çıktı. Sıskalar kapıyı bir türlü itemiyorlardı. İtseler bile, durduracak kadar güçlü olmadıkları için durmadan dönüyorlardı. Şişkolar derseniz kapıya sığamıyorlardı; çıkmak ise ayrı bir dertti.

İlkay'la Ünal merdivenle asansörü görünce sevindiler; ama tek sevinen de onlar oldu. Şişkolar yürüyen merdivenlere alışıktılar, üstelik bu merdiveni çok dar bulmuşlardı. Sıskalar, asansörü bir yana bırakıp merdivene saldırdılar; ama bu kadar geniş merdivenden hiç çıkmadıkları için çoğu yere yuvarlandı. Çokkemik dizini ovuşturarak bağırıp çağırdı. Asansörde madalyalarının bazıları kırılan Mareşal Pufpuf, dakikalarca homurdandı durdu.

İşlerin kötüye gittiğini İlkay da, Ünal da anlamıştı. Herkes toplantının son derece kötü düzenlenmiş olduğunu söylüyordu. Şişkolar, toplantıdan önce yemek yemek istediler. Sıskalar ise gün ortasında yemek yemeye alışık değillerdi; "Toplantı hemen başlasın," dediler. Bakan Boştabak'ın bağırmasından korkan Prens Şişgöbek, Sıskaların bu isteğini hemen kabul etti; ama, "Açlıktan karnım gurulduyor, bana bir tabak sandviçle bir tabak pasta getirsinler," dedi.

Sonunda kocaman bir masaya oturuldu. Ünal Şişkoların, İlkay da Sıskaların arkasında ayakta duruyordu. Prens Şişgöbek, toplantıya bir başkan seçilmesi gerektiğini öne sürmek üzereydi ki, Bakan Boştabak ayağa kalkıp bağırmaya başladı:

"Toplantı başlamadan önce iki şeyi belirtmek isterim. Basına dağıtılan listelerde Mareşal Pofuduk, Kemikkent Dükü olarak gösterilmiş. Şunu bilin ki, Mareşal Pofuduk Kemikkent'i ele geçirmedi, Kemikkent Mareşal Pofuduk'u ele geçirdi."

Ünal, Mareşal Pofuduk'a bir göz attı. Öfkeden mosmor kesilmişti zavallıcık. Kalkıp Boştabak'a karşılık verecekti ki, Zayıflama Bakanı sözlerine devam etti:

"Bir de şunu belirtmek istiyorum: Bu toplantının konusu, sizin öne sürdüğünüz gibi Şişka Adası değil, Sısko Adası'dır. Bu adanın adı eskiden beri Sısko

Adası'dır! Şişkolar, adanın daha çok kendilerinin olduğu sanısını uyandırmak için, Şişko sözcüğünün 'Şiş' hecesini başa, Sıska sözcüğünün 'ka' hecesini de sona almışlardır. Biz böyle şeyleri yutmayız! Bu konu bir sonuca bağlanmadan toplantıya devam etmeyeceğiz!"

Ağızları yiyecekle dolu Şişkolar, birbirlerine baktılar. Profesör Pufpuf öfkelenmişe benziyordu. Eğilip bir şeyler söyledi Prens Şişgöbek'in kulağına.

Prens Şişgöbek, "Şişkolar adına Profesör Pufpuf konuşacak şimdi," dedi.

"Baylar," dedi Profesör Pufpuf, "Şişka Adası'nın adı yeni konmuş olsaydı, Bakan Boştabak'ın öfkesine biz de hak verirdik. Ama bu ad, iki ülkenin tarihleri kadar eskidir. On ikinci yüzyılda yaşamış olan şair Yağlarca'nın şiirlerini karıştırırsanız şu ölümsüz dizeye rastlarsınız: *O Şişka Adası ki, çiçeklerle bezenmiş...* On üçüncü yüzyılda da..."

Boştabak'ın patlamak üzere olduğunu gören Prens Şişgöbek, Profesör Pufpuf'un sözünü kesti. Gülümseyerek, "Baylar," dedi, "bana kalırsa, bu anlaşmazlık hiç de önemli değil. Biz Şişka Adası diyelim, siz Sısko Adası deyin, olsun bitsin. Böylece herkesin istediği olur."

Mosmor kesilmek sırası şimdi de Boştabak'a gelmişti.

"Böyle saçma şey duymadım, Profesör Pufpuf salağın, görgüsüzün biridir!"

Profesör Pufpuf da mosmor kesilmişti. Sonra sarardı; derken kıpkırmızı oldu yüzü. Öksürdü, tıksırdı, çıkıp gitti. Prens Şişgöbek'le Mareşal Pofuduk birbirlerine baktılar; yapılacak bir şey yoktu, onlar da çıkıp gittiler. Sıskalar ise onların çıktığı kapının karşısındaki kapıdan başka bir odaya geçtiler. Salonda Ünal'la İlkay kalmıştı.

Ünal, "Senin şu Sıskalar deli galiba," dedi.

"Yok canım," dedi İlkay. "Boştabak'ı tanımıyorsunuz siz. İyi bir insandır aslında. Profesör Pufpuf'un salak olduğunu, görgüsüz olduğunu söylemekle büyük bir incelik gösterdi... kendine göre tabii. Yoksa neler neler demezdi. Profesör Pufpuf kalkıp gitmeseydi bir anda yatışırdı."

"Yazık!" dedi Ünal. "Siz de Şişkoları tanımıyorsunuz. Öyle iyi, öyle arkadaş canlısı insanlar ki... Barışı sağlamak için geldiler buraya."

"En iyisi, benim sana anlattıklarımı sen de git Şişkolara anlat," dedi İlkay. "Hadi, çabuk ol; yoksa işler çıkmaza girecek. Sıskaları bilirim ben. Geçimsiz değillerdir, ama öfkelenince gözleri hiçbir şeyi görmez. Buraya gelirken kendi aralarında konuşuyorlardı. Şişka adını kabul etmektense savaşmayı göze alacaklarını söylüyorlardı."

"Ama saçma bir şey bu," dedi Ünal.

"Hem de nasıl! Belki biz bir şeyler yapabiliriz."

"Belki," dedi Ünal. "Toplantı sonuçlanıncaya kadar adaya 'Ya Şişka Ya Sısko Adası' deseler nasıl olur sence?"

İlkay bir an düşündü.

"Evet," dedi. "Ya Şişka Ya Sısko Adası... Gidip Boştabak'la konuşayım, belki kabul eder."

Ünal yan odaya geçti. Şişkolar masa başına çökmüş, yemek yiyorlardı. Kardeşiyle aralarında geçen konuşmayı anlattı Ünal.

Zavallı Mareşal Pofuduk, Boştabak'ın sözlerini hâlâ unutamamıştı.

"Kemikkent Dükü olmayı ben mi istedim sanki?" diyordu. "Ben Düklük filan istemiyorum."

Prens Şişgöbek yatıştırmaya çalışıyordu onu. Ünal'ın sözlerini dinledikten sonra, "Peki," dedi, "adaya 'Ya Şişka Ya Sısko Adası' demeyi kabul ediyoruz."

Bu arada, İlkay da Boştabak'la konuşmuştu. Boş-

tabak, "Olmaz öyle şey!" diye bağırdı. "Sersemin, kaz kafalının birisin sen!"

Bir an düşündükten sonra, "Peki," dedi. "Ya Şişka Ya Sısko Adası değil de, Ya Sısko Ya Şişka Adası dersek olur."

İlkay, "Belki Şişkolar kabul eder bunu," diye düşündü; kardeşinin bulunduğu odaya koştu. Ama bu kere de Şişkoların inadı tutmuştu.

"Olmaz," dedi Profesör Pofuduk. "Kabul edersek Göbekyurt'a dönemeyiz sonra. Herkes bizi taşa tutar."

O sırada bir asker girdi odaya, Zayıflama Bakanı Boştabak'tan bir haber getirmişti:

Boştabak, "Ya Sısko Ya Şişka Adası" on dakika içinde kabul edilmezse Kemikistan'a döneceğini söylüyordu.

Mareşal Pofuduk, umutsuzlukla, "Savaş demektir bu," dedi.

Profesör Pufpuf, nedense pek keyiflenmişti, "Evet, savaş demektir!" diye bağırdı.

On beş dakika sonra limandaydılar. O hırgür içinde uyku bile uyuyamamışlardı; gözleri yorgunluktan kapanıyordu. Ünal, Sıskaları Kemikistan'a götüren trenin arkasından hayranlıkla baktı.

Şişkolarla Sıskaların Savaşı

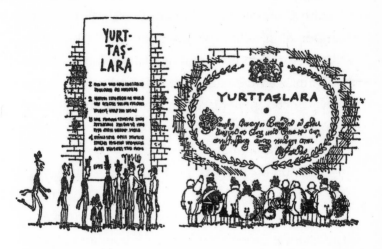

Zayıflama Bakanı Boştabak, Kemikkent'te büyük coşkuyla karşılandı. Başbakan Kepkemik, Boştabak'ı kıskanmıştı, ama yine de onu karşılamaya geldi. Kentin bütün gençleri sokakları doldurmuştu; Boştabak'la arkadaşları kalabalığı yara yara Zayıflama Bakanlığı'na gittiler. Sıskaların en yoksul olanları bile birer bayrak almışlardı; evlerden uzun bayraklar sarkıyordu. Bandolar, ünlü besteci Uzunkaval'ın eseri "Zayıflığa Övgü"yü çalıyordu alanlarda. Duvarlara ilanlar asılmıştı: Ordu ertesi sabah saat tam 5.34'te yola çıkacaktı.

Profesör Pufpuf'la arkadaşları da büyük bir coşkuyla karşılandılar. Kral Tostombul bile yemeğini yarım bıraktı. Göbekistan'ın onurunu eşsiz bir cesaretle koruyan üç Şişko'yu karşılamak için sarayın kapısına kadar indi. Kadınlar buketler verdiler kahramanlara. Şişkolar kavgadan gürültüden pek hoşlanmazlardı gerçi, ama Göbecik'te ortalığı birbirine katan Profesör Pufpuf'u göklere çıkarıyorlardı. Göbekyurt korosu, ünlü besteci Tombuldavul'un "Şişmanlığa Övgü"sünü söyledi kentin alanında. Afişçiler, şekerli zamklarla ilanlar yapıştırdılar duvarlara. Balon biçimindeki bu ilanlarda iki ülke arasında savaş çıktığı, ordunun bir haftaya kadar hareket edeceği yazılıydı.

Çocuklar ilanları yırtıp zamkı yalamaya başladılar; başlarına gelecekleri bilselerdi bundan vazgeçer, evlerine gidip güzel güzel pastalarını yerlerdi belki.

Prens Şişgöbek'in evinde yapılan toplantıya Ünal da katıldı. Mareşal Pofuduk, kendine güveniyordu.

"İnanın bana," dedi, "düşmanlar, Kumgöbek Çölü'nde büyük bir bozguna uğrayacaklar bu kez. Bütün orduyu çöle götüreceğim. Bizim askerler çalışmayı pek sevmezler, ama siper kazacaklarına söz verdiler. Şu anda aramızda bulunan akıllı dostumuz, Yeryüzü'nde yaşayanların nasıl siper kazdıklarını bize anlattı."

Herkes Ünal'a baktı. Ünal keyiflenmişti; kızardı.

Mareşal Pofuduk sözlerine devam etti:

"Yeryüzünde yaşayanların kazdıkları siperler bize dar gelir, içlerine sığmayız. Geniş kazsak işe yaramazlar. Neyse ki, General Şengöbek buna bir çare buldu. Yuvarlak siperler kazacağız. Siperlerin üstleri dar, altları geniş olacak; ama bu çeşit siperlere de yalnızca iki yandan girilebiliyor. Bütün askerler aynı anda çıkıp düşmana saldıramayacaklar. Zararı yok, biz zaten saldırmak için değil, kendimizi korumak için savaşıyoruz."

Prens Şişgöbek, Mareşal Pofuduk'u büyük bir içtenlikle kutladı; bir de müjde verdi: Kral Tostombul, Mareşal Pofuduk'u Kumgöbek Prensi yapmıştı. Ünal'a döndü sonra; "Yeryüzü'nden gelen genç dostum," dedi, "Göbekistan için çok çalıştın. Kralımız seni de Yürüyen Merdiven Kontu yaptı."

İlkay da o sırada Boştabak'ın başkanlığında yapılan toplantıdaydı.

"Toplantıyı açıyorum," dedi Bakan Boştabak. "Şimdi General Cıpcılız, savaş planlarını anlatacak size."

"Baylar," dedi General Cıpcılız, "savaş bilinmedik, umulmadık şeyler yaparak kazanılır. Onun için, geçen yılki planımızı bu yıl da uygulamanın bir anlamı yok. Şu üç noktayı aklımızdan çıkarmamalıyız:

"1. Şişkoların donanmaları yoktur. Demir İğne Kayaları'nda batırdığımız gemilerin yerlerine yenilerini yapamadılar. Demek ki, bize denizden saldıramazlar.

"2. Saldıramayacakları için de, Kemikkent'i ele geçiremeyeceklerdir.

"3. Şişkolar pek akıllı değildir. Bu savaşta da, geçen yılki savaşa göre davranacaklardır. Öyle sanıyorum ki, bizi Kumgöbek Çölü'nde karşılamak isteyeceklerdir.

"Bana kalırsa:

"a) Ya gidip Sısko Adası'nı ele geçirmeliyiz;

"b) Ya da bütün gücümüzle Göbekistan kıyılarına saldırmalıyız. Böylece Göbekyurt'u ele geçirebiliriz."

"General," dedi Bakan Boştabak, "son derece kurnaz bir savaşçısınız siz. Ne istiyorsanız söyleyin. Ülkemiz her istediğinizi verecektir size."

General Cıpcılız, "198 tane gemi istiyorum," dedi. "Bu gemilerin her biri, 1.003 kişi almalı."

Bakan Boştabak, İlkay'a dönerek, "Yaz bunu," dedi. İlkay bir kâğıt çıkarıp General'in kaç kamyon, kaç top, kaç uçak istediğini yazdı. Korku içindeydi; çünkü General Cıpcılız arada bir duruyor, "Söyle bakalım," diyordu. "Bir kamyon 32 kişi alırsa, 6.207 kamyon kaç kişi alır?"

İlkay bir anda karşılık veremiyordu tabii. Veremeyince de Bakan Boştabak küplere biniyor, "Aptalın, dalgacının birisin!" diye bağırıyordu.

"Okula dönersem aritmetikte sınıfın birincisi olurum artık," diye düşündü İlkay.

Kısa bir süre sonra, Sıskalar, Göbekistan kıyılarına başarılı bir çıkarma yaptılar.

İlkay hiç savaş görmemişti o güne kadar; Şişkolarla Sıskalar arasındaki savaşı gördükten sonra bir daha da görmek istemedi. Mermiler başının üstünde V-I-Z-Z diye geçiyor, yere düşerek G-Ü-M-B-Ü-R-R diye patlıyorlardı. Sıska arkadaşları paramparça oluyorlardı; ama zayıflıkları yüzünden, mermilerin çoğu

yanlarından geçiyordu. Akşam olunca uçaklar bomba atmaya başladı. O uçaklar bomba atmayıp da yolcu taşırken ne güzel görünürlerdi gökyüzünde...

Kemikistan askerleri Göbekistan'da ilerledikçe yıkılmış köyler, yaralanmış kadınlar, üstleri başları kan içinde kalmış çocuklar gördü İlkay. Bazı çocukların anneleri de, babaları da ölmüştü. Zavallı Şişkolar, Sıskalara karşı koyamıyorlardı. Göbekistan Ordusu kuzeyde, Kumgöbek Çölü'ndeydi. Askerler, yuvarlak siperlerinin içinde düşmanı beklemekteydiler. Bilmiyorlardı ki, o düşman hiç gelmeyecekti.

Mareşal Pofuduk, ordusunu güneye çekmek istedi hemen; ama askerler siperlerden kolay kolay çıkamadılar. Çıkınca da, savaş bölgesine hep birlikte, hızlı hızlı gideceklerine, teker teker, ağır ağır gittiler. Sıskalar ise yıldırım hızıyla çarpışıyorlardı, kısa zamanda Göbekyurt kapılarına dayandılar.

Mareşal Pofuduk, Göbekyurt surları önündeki çarpışmada askerleriyle birlikte tutsak oldu. Bu yaşlı komutanın başını önüne eğerek kılıcını General Cıpcılız'a vermesini görenler gözyaşlarını tutamadılar. General Cıpcılız da üzülmüştü buna; Mareşal Pofuduk'a tam bir şişkoya yaraşır yemekler verilmesini buyurdu. Şişko komutanın karnı acıkmıştı, bir saattir ağzına lokma koymamıştı çünkü.

Bu arada İlkay, kardeşini arıyordu tutsaklar arasında. Bir türlü bulamadı.

"Ya Ünal da öldüyse?" diye düşündü.

General Cıpcılız'ın ordusu ertesi gün Göbekyurt'a girdi. Bir zamanların mutlu kenti yaslara bürünmüştü. Pastacılar bile kapalıydı. Kadınlar karalar giymişti. Bembeyaz kesilmiş Prens Şişgöbek, General Cıpcılız'la öteki komutanları sarayın kapısında karşıladı. Kemikistan atlılarıyla birlikte Göbekyurt'a giren İlkay, Prens Şişgöbek'in arkasında kardeşini gördü. Ünal ağlıyordu. Yanına gidip kucaklamak istedi onu; ama, "Attan inersem bir daha binemem," diye düşündü. Tören biter bitmez Ünal'ın yanına koştu.

"Niye bu kadar üzgünsün?" dedi. "Sen Şişkolardan değilsin ki!"

"Biliyorum," dedi Yürüyen Merdiven Kontu Ünal, "ama Şişkolara çok alışmıştım."

Savaş sona ermişti. Kral XXXII. Tostombul da, Göbekistan Krallığı da, Sısko Adası da Sıskaların eline geçmişti.

Sıskalar Göbekistan'da

İlkay hayatta hiçbir şeye aldırmaz, hiçbir şeye önem vermez görünürdü, ama çok iyi bir insandı aslında. Kardeşi için elinden geleni yaptı. Sonunda General Cıpcılız'ın yanında bir iş buldu ona. Ünal bu işi kabul etmek istemedi önce, ama Şişkolar, kabul etmesi için Yürüyen Merdiven Kontu'nu zorladılar. Savaşta yenilmişlerdi, değişik bir durum vardı ortada. Şimdi bu yeni duruma uymaları gerekiyordu.

Bu arada, kendi geleneklerini korusunlar, yeterdi.

Sıskalarla pek anlaşamıyorlardı. Sözün gelişi, Kemikistan Ordusu albaylarından biri sabahleyin sekizi beş geçe yanına gitmenizi mi istedi? Sekizi tam beş geçe orada olmak zorundaydınız. Oysa Şişkolar için sekizi beş geçe demek, sabahla öğle arası demekti. Şişkolar Sıskaları, Sıskalar da Şişkoları bir türlü anlayamıyorlardı.

Bir anlaşmazlık konusu daha vardı: yemek. Göbekistan Ordusu'nu doyurmak gerekiyordu. Sıskalar, Şişkoları her saat başı yemek yemekten vazgeçirmek istediler, ama boşuna! Zayıflama Bakanı Boştabak bile, "Aman, üstlerine varmayalım; bunlar uysal insanlar, ama yemek yiyemezlerse gözleri döner, ne yapacakları belli olmaz," dedi. Şişkoların başkaldırmalarından korkuyordu anlaşılan.

Bazı Şişkolar, Sıskaların gözlerine hoş görünmek için perhiz yapmaya başladılar.

Gazetelerde şöyle ilanlar çıkıyordu:

ŞİŞKOYA DA MAŞALLAH
SISKALAŞIR İNŞALLAH

Ama zayıflamaya kalkan Şişkoların çoğu hastalanıp yatağa düşüyordu hemen, bazıları da ölüyordu. Zaten zayıflasalar ne olacaktı sanki? Sıskalara benzemiyorlardı ki... Derileri sarkıyor, yüzleri gözleri buruşuyordu. Öteki Şişkolar hiç sevmiyordu böylelerini.

ÖNCE ŞİŞKOLUĞU BIRAK SISKA OLMAYA BAK SONRA

Bir ayda elli kilo verebilirsiniz

Dr Puftombul pofuduk mahallesi semiz sokak 88/8 GÖBEKYURT

Olaylar birdenbire gelişti. Şişkoların arasına karışmış olan Kemikistan askerleri, Göbekistan yemeklerini sevmeye başlamışlardı. General Cıpcılız'ın masasında yemek yiyen İlkay, onun bile zamanla değiştiğini gördü.

"Ne yapayım," diyordu General, "ele geçirip yönetmeye başladığım ülkenin her şeyini bilmem gerek."

Aslına bakılırsa, Göbekistan yemeklerine adamakıllı alışmıştı. O güne kadar yedikleri nasıl da tatsız kalıyordu bu yemeklerin yanında.

İlkay, Sıskaların çok az yemek yediklerini söylemişti kardeşine. Bir gün yemeğe çağırdı onu. Ünal, General Cıpcılız'ın evinde Prens Şişgöbek'in aşçısını görünce kendini tutamadı, gülmeye başladı, Prens

Şişgöbek'in aşçısı her zamanki yemekleri hazırlamıştı:

TOPTOP ÇORBASI

ŞENKUZU PİRZOLASI

PUFBÖREĞİ

BOLDOLMA

Tahttan indirilmesine karşın, Kral Tostombul zaman zaman öğütler veriyordu General Cıpcılız'a. Kemikistan Ordusu komutanının üstündeki etkisi büyüktü.

"O da herkes gibi bir insan," diyordu General Cıpcılız. "Kral olduğuna bakmayın, akla yatkın şeyler söylüyor; çok yerinde görüşleri var."

Kral Tostombul, eski bir kral olduğunu unutmadan konuşuyordu; bu da General Cıpcılız'ı duygulandırıyordu.

"Sizi Mareşal Pofuduk'la karşılaştırmak aklımdan bile geçmezdi," diyordu Kral. "Mareşal Pofuduk büyük bir kahramandır; onu severim. İkiniz de değerlisiniz, birbirinizden üstün olan yanlarınız var. Ama benim ordumun başında sizin gibi bir komutan olsaydı, kim bilir, şu anda hâlâ Göbekistan Kralı'ydım belki. General Cıpcılız'ı ancak başka bir General Cıpcılız yenilgiye uğratabilirdi!"

İlkay'a, "Biliyor musun," diyordu General Cıpcılız, "çok akıllı bir insan şu Kral."

Gittikçe sevmeye başlamıştı Şişkoları. Askerlerinin davranışlarında da bir incelik göze çarpıyordu. Bazı askerler Şişko kızlarla evlendiler.

Bir süre sonra Kemikkistan Ordusu Kemikkent'e döndü. Sıskalar, arkadaşça ayrılmıştı Şişkolardan; yürekleri pırıl pırıl sevgiyle doluydu.

İlkay, Kemikkistan Cumhuriyeti'nin kısa zamanda değişmiş olduğunu gördü. Sıskaların davranışları, düşünceleri eski davranışlarına, düşüncelerine hiç benzemiyordu. Kullandıkları sözcükler bile değişmişti. Kardeşini Çokkemik'e götürdü. Çokkemik onları evine aldı.

İlkay, "Saat tam sekizde masa başında olacaksın," dedi Ünal'a, "yoksa kahvaltıyı kaçırırsın."

Ertesi sabah sekizde aşağıya indiklerinde Çokkemik'in çocuklarının ortalarda olmadığını gördüler. İnanılmaz bir şeydi bu! Çokkemik, parmaklarıyla masaya vurmaya başladı (Ünal da, İlkay da babalarını hatırladılar; acaba nerelerdeydi şimdi?). Biraz bekledikten sonra içini çekerek, "İnsan yaşamak için yemeli, yemek için yaşamamalı," diye mırıldandı, kahvaltısını etmeye koyuldu.

Çocuklar on dakika sonra geldiler.

Korkunç bir sesle, "Nerelerdeydiniz?" diye gürledi Bay Çokkemik.

Çocuklar, özür dilemek gereğini bile duymadan, "Odamızdaydık," diye karşılık verdiler.

Bay Çokkemik, "Ne?" diye bağırdı öfkeyle. "Saatin sekizi vurduğunu duydunuz da aşağı inmediniz demek?"

"Ne çıkar sanki? Göbekistan'da böyle şeylere önem bile vermiyorlar."

Her evde buna benzer şeyler oluyordu. Göbekistan'la Kemikistan arasındaki savaş, daha rahat yaşanabileceğini öğretmişti Sıskalara. Kocalarının anlattıklarından etkilenen bazı kadınlar, pastacıların açılmasını serbest bırakan bir yasa çıkarılmasını istediler. Öğrenciler, Göbekyurtlu öğrenciler gibi, kendilerinin de pasta gibi, şeker gibi şeyler yemeye hakları olduğunu ileri sürdüler. Kışladaki askerler ise saat sekize kadar uyumak istiyorlardı... tıpkı Göbekistan askerleri gibi.

"Hiç hoşuma gitmiyor bunlar," dedi Bay Çokkemik. "Ülkemizin geleceğiyle ilgili kararlar alacağımız bir sırada bu düşünceleri, bu davranışları tehlikeli buluyorum. Biliyorsunuz, ortada ne Göbekistan Krallığı var artık ne de Sısko Adası."

"Evet," dedi İlkay.

"Buraya kadar iyi," dedi Bay Çokkemik. "Beni bundan sonrası düşündürüyor asıl. Şişkolar buyruğumuz altında mı yaşayacaklar, yoksa yurttaşımız mı olacaklar? Sıskalar gibi oy kullanacaklar mı? Oy kullanırlarsa yandık demektir. Sayıca bizden çoklar. Ülkemize açgözlülük, tembellik, şişmanlık getirirler." Sözün burasında yüz gram daha zayıfladı Bay Çokkemik. "Şişmanlık!" diye tekrarladı. "Ne iğrenç şey!"

Sekizi on üç geçe masadan kalktı.

Ünal, "Şişkolar da oy kullanırlarsa ne iyi olur," dedi İlkay'a. "Bu asık yüzlü insanların yaşayışları değişir belki."

Ne de olsa Sıska sayılırdı İlkay. "Bizi beğenmiyor musun yoksa?" diye sordu.

"Baksana, buraya geldim geleli doğru dürüst bir yemek bile yemedim! Açlıktan öleceğim neredeyse! Günde yalnızca iki kere mi yemek yenirmiş?"

Gerçekten de biraz zayıflamıştı. Kardeşinin bu durumuna üzülen İlkay, ertesi gün Zayıflama Bakanlığı'na gidince Şişkolarla Sıskaların geleceği hakkında sorular sordu Boştabak'a.

"Ne?" diye bağırdı Boştabak. "Casusun, geveze-
nin birisin sen!"

İlkay, Boştabak'tan korkmuyordu artık.

"Kardeşim için üzülüyorum efendim," dedi. "O da
benim gibi Yeryüzü'nden geldi buraya, ama..."

"Eee?" dedi Boştabak.

"...Ama biraz Şişko'dur. Kemikistan'a geldi geleli
karnı doymadı."

Bay Çokkemik'in neler söylediğini anlattı.

"Çokkemik aptalın, korkağın biridir!" dedi Bakan
Boştabak. "Ülkesine güveni olanlar, herkese özgürlük
vermekten korkmazlar. Ben güveniyorum ülkeme!
Şimdilik şunu söyleyeceğim yalnızca: Boştabak'ın sa-
vaşta neler başardığını gördün, şimdi de barışta neler
başaracağını göreceksin."

Başka bir şey söylemedi; ama Bayan Boştabak'ın
etkisinde kaldığı apaçık ortadaydı. Zayıflama Bakanı,
Şişkolara yakınlık duyuyordu anlaşılan.

Şişkolarla Sıskalar

Seçimden bir gün önce, Zayıflama Bakanı Boştabak radyoda bir konuşma yaparak sesini ülkenin en zayıf köylerine bile duyurdu.

"Şişkolarla Sıskalar birleşmelidir," dedi. "İnsanların kilolarına göre ayrıldıkları nerede görülmüş? Gerçeğin gerçek sayılabilmesi için elli kilodan az mı gelmesi gerekir? Şişkolar insan değil midir? Siz böyle düşünebilirsiniz belki. Ama ben böyle düşünmüyorum. Yeryüzünde yaşayanlara bakın. Sıskaların çoğunlukta olduğu ülkeleri hep Şişkolar yönetiyor. Şişko kocalar, Sıska karılarıyla mutluluk içinde yaşıyor.

Biz de onlar gibi olalım. Güçlü, yenilmez bir devlet kuralım: Yeraltı Birleşik Devletleri!"

Bu konuşma bütün ülkede coşkunlukla karşılandı. Sıskaların çoğu da Bakan Boştabak gibi düşünüyorlardı. Bay Çokkemik, radyoda Zayıflama Bakanı'nı yanıtladı. Onun sesi de her yere duyuruldu.

"Şişkoları ben de severim," dedi. (Bunu duyan Ünal, "Yalan söylüyor," diye fısıldadı İlkay'a.) "Ama çeşitli kilolardaki insanların birleşerek bir devlet kurmaları doğru değil. Biz Sıskalar, her şeyimizi sıskalığımıza borçluyuz. Şişkolarla bir arada yaşamaya başlarsak yıkılır gideriz."

İlkay, "Çokkemik haklı," dedi kardeşine; Yeryüzü'nde yaptıkları gibi, kavga etmeye başladılar.

Ertesi gün, seçimleri Boştabak'ın kazandığını öğrendiler. Çokkemik oldukça oy toplamıştı taşra-

"HER ŞEYİMİZİ SISKALIĞIMIZA BORÇLUYUZ.."

dan, ama Kemikkent'te Boştabak adamakıllı ileri-
deydi.

İlkay'la Ünal seçimden sonraki haftaları neşe
içinde geçirdiler. Pasaportlar kaldırılmıştı, kimse tar-
tılmıyordu artık. Şişkolar, Sarı Deniz'de istedikleri
gibi yolculuk edebiliyorlardı. Yüzlerce Şişko geldi Ke-
mikkent'e; kente canlılık getirdiler. Her saat başı ka-
rınlarını doyurabilmeleri için lokantalar, pastacılar
açıldı. Yaşlı Sıskalar bu yenilikleri benimsemediler;
sonunda, onların zoruyla kentte bir Şişkolar Mahalle-
si kuruldu. Sıska olmayan herkes o mahallede otur-
mak zorundaydı. Ama Şişkolar Mahallesi o kadar gü-
zel bir mahalleydi ki, işler daha da sarpa sardı.

Ünal'la İlkay, Çokkemik'in evinden ayrılıp Şişkolar Mahallesi'nde küçük bir ev kiraladılar. Şişkolardan başka bir sürü de Sıska oturuyordu mahallede; her akşam toplanıyor, birlikte gülüp eğleniyorlardı. Özel şişkolaşma kursları açıldı Kemikkent'te; doktorlar gazetelere ilan verip kendilerine başvuranları haftada iki kilo şişmanlatacaklarını bildirdiler. Sıska kadınlar arasında Şişkoluk moda oldu. Bir türlü şişmanlayamayanlar ise kat kat elbiseler giyiyorlardı üstlerine. Tiyatrolarda Şişko yazarların oyunları oynanmaya başladı. Bu oyunlar arasında Haldunpuf'un "Vatan Kurtaran Şişman" adlı yapıtı çok beğenildi.

Göbekistan'ın eski kralı Tostombul, seçimden üç ay sonra Kemikkent'e gelince bu coşkunluk daha da arttı. Tostombul, kral değildi artık, herkes gibi bir yurttaştı; ama Sıskalar, aralarında görünce tam bir kral gibi davrandılar ona. Tostombul operaya gitti; seyirciler ünlü besteci Tombuldavul'un "Şişmanlığa Övgü" adlı yapıtının çalınmasını istediler. Tostombul, Boştabak'ın özel locasında görününce büyük bir alkış koptu.

Yaşlı Sıskalar gittikçe tedirgin oluyorlardı. Bir ay sonra iki ülkede yapılan genel seçimi Şişkolar kazanmışlardı çünkü. Yeni başbakan Şişko'ydu; en iyi görevlere Şişkolar atandı. Önceleri, onların yavaşlığıyla alay ediyordu Sıskalar, zamanla alıştılar buna da, Şişkolar hiç sinirlenmiyor, herkese güler yüz gösteriyorlardı. Ünal'a Zayıflama Bakanlığı'nda iş bulan İlkay olmuştu; ama seçimi Şişkolar kazandıktan sonra kardeşinden daha önemli bir görev verildi Ünal'a.

Bir sabah Bakan Boştabak'ın yanına gitti İlkay. "Ne yapacaksınız şimdi?" diye sordu.

Boştabak bu sorudan hiçbir şey anlamamıştı.

"Ülkedeki herkes şişmanlıyor," diye açıkladı İlkay. "Şişkolukta Kral Tostombul'u bile geride bıraktılar."

Boştabak gülerek İlkay'ın kulağını çekti.

"Bebeğin, sevimlinin birisin sen!"

Ertesi sabah, Şişkolarla Sıskaların bayrakları altına ilanlar asıldı yine:

1. Kral Tostombul, Yeraltı Birleşik Devletleri'nin kralı olarak taç giyecektir.

2. Zayıflama Bakanlığı kaldırılmış; Boştabak, Başbakanlık'a getirilmiştir.

3. Kemikistan Anayasası yürürlüktedir.

Bu kararlar olumlu karşılandı; taç giyme töreninin iki ülke arasındaki anlaşmazlığı doğuran adada yapılması kararlaştırıldı. Ama çok önemli bir sorun vardı ortada; adanın adı ne olacaktı? Savaşı Sıskalar kazanmışlardı, onun için adanın Şişka Adası olarak adlandırılması söz konusu olamazdı. Öte yandan,

Kral da Sısko Adası adını kabul etmezdi tabii; atalarının kemikleri sızlardı yoksa. Bu konudaki soruları Başbakan Boştabak yanıtladı:

"Kralımızın sağduyusuna güveniyoruz."

Taç giyme töreni için denize açılındığında bu soruna hâlâ bir çözüm bulunamamıştı. Kimse adanın adını ağzına almaya cesaret edemiyordu.

Kral adaya ayak bastığında her taraf şeftali ağaçlarının pembe tomurcuklarıyla donanmıştı; tomurcuklar, pembe dalgalar gibi kıpırdanıyordu rüzgârda. Kral, kocaman, uykulu gözlerini kırpıştırarak bir süre düşündü. Yanında durmakta olan Başbakan'la Bakanlar, konuşmasını bekliyorlardı onun.

Kral Tostombul, "Şeftali Tomurcukları Adası desek?" diye mırıldandı sonunda.

"Efendimiz," dedi Başbakan Boştabak, "daha önce hiç aklıma gelmemişti bu. Aptalın, dalgacının biriyim ben!"

Dönüş

Taç giyme töreninden kısa bir süre sonra İlkay'la Ünal Yeryüzü'ne dönmek için Başbakan Boştabak'tan izin istediler. Göbekistan'da olsun, Kemikistan'da olsun, kendilerine çok iyi davranılmıştı; ama anneleriyle babalarını özlemişlerdi artık. Zavallıcıklar, ne kadar da meraklanmışlardı kim bilir! Çocuklarının öldüğünü ya da ormanda yollarını şaşırdığını sanıyorlardı belki. Eve dönüp onları sevindirmenin zamanı gelmişti.

ünden göründü başları. Aşağı baktılar; babaları
dilerini bekliyordu.

Pek öfkeli değildi.

"Neyse, gelebildiniz!" dedi. "Ben de merak etme-
başlıyordum artık."

"Ama, babacığım," dedi İlkay. "On aydır burada
bekliyordunuz bizi?"

Ferit Bey, gülerek, "On ay mı?" dedi. "Ne on ayı?
gideli bir saat oldu ancak."

İlkay'la Ünal şaşırdılar. Göbekistan'la Kemikis-
'da zamanın çok çabuk geçtiğini bilmiyorlardı ki.
ay ne de güneş vardı Yeraltı'nda; onun için,
yüzü'ne göre yedi bin kere daha hızlı geçmişti za-
n.

Şişkolarla Sıskaların birleşmeleri konusunda ya-
rarlı olabileceklerini düşünerek bu dönüşü geciktir-
mişlerdi şimdiye kadar. Gerçekten de yararlı olmuş-
lardı. Ama görevleri sona ermişti artık. Kral
Tostombul'la Başbakan Boştabak gül gibi geçinip gi-
diyorlardı. İlkay'la Ünal'ın gözleri arkada kalmazdı
artık.

Boştabak anlayışlı insandı. Kulaklarını çekti on-
ların.

"İlkay," dedi, "yaramazın, kaçığın birisin sen!"

Sonra Ünal'a döndü:

"Sen de yaramazın, kaçığın birisin! Tamam mı?"

Böyle söyledi, ama hemen de pasaportlarını ha-
zırlattı. Göbekyurt'u son bir kere görmelerine izin
verdi.

Göbekyurt'a yaptıkları yolculuk çok ilgi çekiciydi.
Kral Tostombul'un sarayı hâlâ yerindeydi. Yılın altı
ayını Göbekyurt'ta, altı ayını da Kemikkent'te geçiri-
yordu Kral. Bazı Şişkolar, Tostombul'un bu davranışı-
nı hiç beğenmiyorlardı. Profesör Pufpuf, bir Safkan
Şişkolar Partisi kurmuş, Göbekistan düşleri görüyor-
du. Tostombul'un oğlunu kandırmaya çalışıyordu.
Kralı devirecek, yerine oğlunu tahta çıkaracaktı. Bir
de ad bulmuştu ona: Süpertombul.

Çok geçmedi, İlkay'la Ünal, Şişkoların büyük ço-
ğunluğunun bu yeni düzenden hoşlandıklarını anla-
dılar. Her saat başında yemeklerini yiyorlardı yine,

sonra da uyuyorlardı. Tıpkı eskisi gibi. Balonları havada salınıp duruyordu. Durumundan yakınan pek azdı. Eski dostu Şişgöbek'i görmek isteyen Ünal, onun güzel bir köy evinde yaşamakta olduğunu öğrendi.

Prens Şişgöbek, İlkay'la Ünal'ı özel balonuna bindirip gümrüğe kadar götürdü. Savaştan yıkılan evlerin hepsi onarılmıştı. Balonların ışıkları denize vuruyordu. Sarı Deniz'in havadan görünüşü ne kadar da güzeldi...

Yere inince bir gümrükçü karşıladı onları.

İlkay, "Yürüyen merdivene gitmek istiyoruz," dedi.

"Pasaportunuz var mı?"

"Buyurun."

Gümrükçü dikkatle inceledi pasaportları.

"Tamam," dedi. "Gelin benimle."

Biraz yürüdükten sonra çelik perdeyle kapatılmış bir tünel ağzına geldiler. Gümrükçü bir düğmeye bastı, perde kalktı. Makine sesleri duyuldu. Yürüyen bir merdiven gördüler önlerinde, yukarı çıkan bir merdiven. Gümrükçü, yanındaki mikrofona eğilerek bağırdı:

"İki dünyalı. İki kişi."

Eskiden olsa, "Bir Şişko, bir de Sıska," diye eklerdi; ama artık gereği yoktu bunun. Yeraltı insanları kilolarına göre ayrılmıyorlardı ki artık.

Çıktıkça çıktılar. İkisinin yürekleri de gü[...] atıyordu. Evlerine nasıl gideceklerdi? Ormand[...] rını bulabilecekler miydi? Sonunda ufacık [...] gördüler uzakta; ışık büyüdü, büyüdü, tüneli [...] lattı. Evet, gün ışığıydı bu!

Ampullerle aydınlatılmış kocaman mağara[...] koşa geçince İkiz Kayalar'ın dibinde buldula[...] lerini.

O sırada bir ses duydular:

"Hoy! Hoy! Hoy!"

Babalarının sesiydi bu.

Olanca güçleriyle bağırarak karşılık verd[...]

"Hoy! Hoy! Hoy!"

İkiz Kayalar'ın arasındaki baca gibi b[...] nasıl olup da çıkabildiklerini kendileri de a[...] dılar. Ellerini, kollarını, ayaklarını, bacaklar[...] larını kullanarak tırmanıyorlardı. Soluk so[...] mışlardı, ama mutluydular. On saniye sonra [...]

Şişkolarla Sıskaların birleşmeleri konusunda yararlı olabileceklerini düşünerek bu dönüşü geciktirmişlerdi şimdiye kadar. Gerçekten de yararlı olmuşlardı. Ama görevleri sona ermişti artık. Kral Tostombul'la Başbakan Boştabak gül gibi geçinip gidiyorlardı. İlkay'la Ünal'ın gözleri arkada kalmazdı artık.

Boştabak anlayışlı insandı. Kulaklarını çekti onların.

"İlkay," dedi, "yaramazın, kaçığın birisin sen!"

Sonra Ünal'a döndü:

"Sen de yaramazın, kaçığın birisin! Tamam mı?"

Böyle söyledi, ama hemen de pasaportlarını hazırlattı. Göbekyurt'u son bir kere görmelerine izin verdi.

Göbekyurt'a yaptıkları yolculuk çok ilgi çekiciydi. Kral Tostombul'un sarayı hâlâ yerindeydi. Yılın altı ayını Göbekyurt'ta, altı ayını da Kemikkent'te geçiriyordu Kral. Bazı Şişkolar, Tostombul'un bu davranışını hiç beğenmiyorlardı. Profesör Pufpuf, bir Safkan Şişkolar Partisi kurmuş, Göbekistan düşleri görüyordu. Tostombul'un oğlunu kandırmaya çalışıyordu. Kralı devirecek, yerine oğlunu tahta çıkaracaktı. Bir de ad bulmuştu ona: Süpertombul.

Çok geçmedi, İlkay'la Ünal, Şişkoların büyük çoğunluğunun bu yeni düzenden hoşlandıklarını anladılar. Her saat başında yemeklerini yiyorlardı yine, sonra da uyuyorlardı. Tıpkı eskisi gibi. Balonları havada salınıp duruyordu. Durumundan yakınan pek azdı. Eski dostu Şişgöbek'i görmek isteyen Ünal, onun güzel bir köy evinde yaşamakta olduğunu öğrendi.

Prens Şişgöbek, İlkay'la Ünal'ı özel balonuna bindirip gümrüğe kadar götürdü. Savaştan yıkılan evlerin hepsi onarılmıştı. Balonların ışıkları denize vuruyordu. Sarı Deniz'in havadan görünüşü ne kadar da güzeldi...

Yere inince bir gümrükçü karşıladı onları.

İlkay, "Yürüyen merdivene gitmek istiyoruz," dedi.

"Pasaportunuz var mı?"

"Buyurun."

Gümrükçü dikkatle inceledi pasaportları.

"Tamam," dedi. "Gelin benimle."

Biraz yürüdükten sonra çelik perdeyle kapatılmış bir tünel ağzına geldiler. Gümrükçü bir düğmeye bastı, perde kalktı. Makine sesleri duyuldu. Yürüyen bir merdiven gördüler önlerinde, yukarı çıkan bir merdiven. Gümrükçü, yanındaki mikrofona eğilerek bağırdı:

"İki dünyalı. İki kişi."

Eskiden olsa, "Bir Şişko, bir de Sıska," diye eklerdi; ama artık gereği yoktu bunun. Yeraltı insanları kilolarına göre ayrılmıyorlardı ki artık.

Çıktıkça çıktılar. İkisinin yürekleri de güm güm atıyordu. Evlerine nasıl gideceklerdi? Ormanda yollarını bulabilecekler miydi? Sonunda ufacık bir ışık gördüler uzakta; ışık büyüdü, büyüdü, tüneli aydınlattı. Evet, gün ışığıydı bu!

Ampullerle aydınlatılmış kocaman mağarayı koşa koşa geçince İkiz Kayalar'ın dibinde buldular kendilerini.

O sırada bir ses duydular:

"Hoy! Hoy! Hoy!"

Babalarının sesiydi bu.

Olanca güçleriyle bağırarak karşılık verdiler:

"Hoy! Hoy! Hoy!"

İkiz Kayalar'ın arasındaki baca gibi boşluktan nasıl olup da çıkabildiklerini kendileri de anlayamadılar. Ellerini, kollarını, ayaklarını, bacaklarını, omuzlarını kullanarak tırmanıyorlardı. Soluk soluğa kalmışlardı, ama mutluydular. On saniye sonra kayaların

üstünden göründü başları. Aşağı baktılar; babaları kendilerini bekliyordu.

Pek öfkeli değildi.

"Neyse, gelebildiniz!" dedi. "Ben de merak etmeye başlıyordum artık."

"Ama, babacığım," dedi İlkay. "On aydır burada mı bekliyordunuz bizi?"

Ferit Bey, gülerek, "On ay mı?" dedi. "Ne on ayı? Siz gideli bir saat oldu ancak."

İlkay'la Ünal şaşırdılar. Göbekistan'la Kemikistan'da zamanın çok çabuk geçtiğini bilmiyorlardı ki. Ne ay ne de güneş vardı Yeraltı'nda; onun için, Yeryüzü'ne göre yedi bin kere daha hızlı geçmişti zaman.